논·술·세·계·대·표·문·학

54

독일인의 사랑

막스 뮐러 | 이연희 엮음

훈민출판사

독일 베를린의 브란덴부르크 문 — 뮐러는 독일 데사우 지방에서 태어났다.

The Best World Literature

독일의 쾰른 대성당

영국 잉글랜드의 피카딜리 광장 – 독일에서 태어난 뮐러는 영국으로 귀화하여 잉글랜드에 있는 옥스퍼드 대학의 교수로 생활했다.

독일 키튼의 어린이

독일의 라인 강변

독일 하이델베르크의 한 마을

독일 프랑크푸르트의 뢰머 광장

〈독일인의 사랑〉에 나올 듯한
독일의 아담한 주택

마을 한가운데로 하천이 흐르는 독일의 한 마을 —하천에서 물오리들이 헤엄치고 있다.

The Best World Literature

독일의 한 소년이 비둘기에게 먹이를 주고 있다.

구인환(丘仁煥)

서울대학교 사범대학 졸업. 동 대학원 졸업(문학박사)
서울대학교 명예교수, 소설가(현). 서울대학교 사범대학 국어교육연구소 소장(현)
문학과문학교육연구소 소장(현). 국제펜 한국본부 부회장(현)
한국소설문학상(1987). 예술문화대상(1994). 한국문학상(2000)
작품 〈숨쉬는 영정〉, 〈살아 있는 날들〉, 〈일어서는 산〉 외 다수

- **저서** 《한국단편소설의 이해》, 《한국현대소설의 비평적 성찰》,
  《고교생이 알아야 할 소설》, 《고교생이 알아야 할 세계단편소설》 외 다수

윤병로(尹柄魯)

성균관대학교 국어국문학과 졸업. 동 대학원 졸업(문학박사)
성균관대학교 교수, 문학평론가(현). 한국현대소설학회장(현)
한국문예학술저작권협회 이사(현). 한국간행물윤리위원회 위원(현)
한국펜 문학상(1987). 한국문학상(1988). 대한민국문학상(1989)
수필집 《나의 작은 애인들》 외 다수

- **저서** 《현대 작가론》, 《한국 현대 소설의 탐구》,
  《한국 근대 작가 작품 연구》, 《한국 현대 작가의 문제작 평설》 외 다수

홍성암(洪性岩)

고려대학교 국어국문학과 졸업. 한양대학교 대학원 국어국문학과 졸업(문학박사)
동덕여자대학교 교수, 소설가(현). 한국문인협회 회원(현)
한국소설가협회 이사(현). 국제펜 한국본부 소설분과 이사(현). 한민족 문화학회 회장(현)
창작집 《큰 물로 가는 큰 고기》, 《어떤 귀향》 외
대하역사소설 《남한산성》 (전9권) 외 다수

- **저서** 《문학의 이해》, 《현대 작가론》, 《한국 근대 역사소설 연구》 외 다수

기
획
·
감
수

크리스마스를 맞이하여 독일의 어린이가 소원을 비
는 촛불을 밝히고 있다.

논술 *세계대표문학*을 펴내며

　21세기의 사회는 **'전자 문명 시대'**라 일컬어질 만큼 오늘날 전자 산업은 우리 생활의 거의 모든 분야에 다양하게 응용되고 있습니다. 출판 분야 또한 예외는 아니어서, 종래의 서책(Book) 대신에 이른바 '전자책(CD-ROM)'의 출간이 최근 들어 날로 증가하고 있습니다.

　그러나 이러한 전자책은 영상 또는 모니터상으로 흥미 위주나 백과사전식 지식을 습득하는 데는 효과적일지 모르지만, 문학 공부를 위해서는 별로 도움이 되지 않습니다. 바꾸어 말하면, 문학 공부는 각 지면마다 살아 숨쉬는 표현 하나하나를 독자 자신의 머리로 음미하면서 작품을 읽어 나가는 가운데, 풍부한 상상력의 배양과 함께 작가의 의도와 그 작품의 내면을 깊이 있게 이해함으로써 이루어지는 것입니다.

　이에 훈민출판사에서는, 자라나는 학생들이 범람하는 영상 매체에 길들여지기 전에, 어려서부터 유명한 세계문학 작품들을 책자를 통하여 감명 깊게 읽고 감상함으로써, 올바른 문학 공부의 기틀을 다지고, 아울러 전인 교육도 할 수 있도록 《논술 세계대표문학(전60권)》을 펴내게 되었습니다.

　작품 선정은, 초·중·고등학교 국어 교과서와 역사 교과서에 실리거나 소개된 문학 작품을 중심으로 하되, 그리스 신화와 성경 이야기 등의 고전에서부터 중세·근대·현대에 이르기까지 세르반테스·셰익스피어·톨스토이 등 세계 유명 작가들의 장·단편 소설들을 엄선·수록하였습니다. 또 세계의 명시도 별권으로 엮었으며, 특히 각 단락마다 **'논술 문제'**를 제시하여, 장차 대학입시를 비롯한 각종 '논술 고사'에 예비 지식을 쌓을 수 있도록 배려하였습니다. 아무쪼록, 이 《논술 세계대표문학(전60권)》이 자라나는 학생들에게 문학 공부의 주춧돌이 되고, 나아가 미래를 살아가는 데 **정신적 자양분**이 되기를 진심으로 바라 마지않습니다.

훈민출판사

차례

독일인의 사랑

뮐러

지은이

1823~1900년. 독일 데사우 출생.
슈베르트 가곡 '겨울 나그네'의 시인으로 유명한 빌헬름 뮐러의 아들이다. 독일 베를린 대학에서 언어학을 공부한 뒤 셸링에게 가르침을 받았다. 그 후 영국에 귀화하여 1850년 이후 옥스퍼드 대학 언어학 교수로 재직했다. 그는 생애 단 한 편의 소설을 썼는데, 그것이 바로 〈독일인의 사랑〉이다. 뮐러는 이외에도 동양 고전에 대한 방대한 지식으로 여러 편의 연구서를 펴내기도 했다.

독일인의 사랑

첫 번째 추억

누구에게나 어린 시절이 있다. 어린 시절을 겪지 않은 사람은 없다.

그 어린 시절은 어른이 된 지금도 특별한 시절로 남아 있다.

그 어린 시절은 그 나름대로의 비밀과 신비함, 그리고 사랑과 두려움을 간직하고 있다.

기억 속에 남아 있는 것들이 그 모든 것을 말해 줄 것이다.

하지만 그 누가 그걸 적절한 말로 표현할 수가 있으며, 그 뜻을 풀어서 알기 쉽게 설명할 수 있겠는가?

온통 신비롭고 비밀스런 궁전 속에 앉아 아무리 어린 시절을 둘러보아도 그것을 한마디로 쉽게 말할 수 있는 사람은 없다.

우리들은 모두가 어린 시절이라는 고요하고 평화로운 숲을 지나왔다.

우리들은 모두 한때 그 지극한 행복감에 취해 눈을 감았다.

인생의 아름다운 현실이 밀물처럼 밀려와, 우리의 어린 영혼에 흘러넘쳤다.

그 때는 이 세상이 모두 우리의 것이었으며, 우리 또한 온 세계의 것이었다.

그것은 일종의 영원한 삶이었다.

시작도 끝도 없고, 정지도 고통도 없는 영원한 것이었다.

우리의 마음속은 가을 하늘처럼 푸르고 맑았으며, 오랑캐꽃 향기처럼 신선하였다. 그리고 주일날 아침처럼 고요하고 거룩하였다.

그런데 무엇이 어린 시절의 이런 평화를 깬 것일까?

어찌하여 이처럼 순수하고 천진난만한 시절이 종말을 고하게 된단 말인가?

무엇이 우리를 그 하나밖에 없는 완전한 축복으로부터 내몰아서, 갑작스럽게 어두운 삶 속으로 밀어 넣으며 괴롭고 쓸쓸하게 살도록 하는 것인가?

죄지은 얼굴로 그것을 죄악이라고 하지는 말아야 한다.

어린아이가 어떻게 죄 같은 것을 지을 수가 있단 말인가?

어린아이가 무슨 죄를 지었기에 그런 일이 일어날 수 있겠는가?

차라리 이렇게 말하면 좋을 것이다.

우리는 그것을 알지 못하며, 단지, 하늘이 우리에게 준 법칙에 따라갈 뿐이라고.

그렇게 말한다면 우리들이 완전하게 행복했던 유년 시절을 보내고 어른이 된 지금을 이해하기 쉬울 것이다.

꽃봉오리가 열리고 그것이 씨앗을 맺고, 씨앗이 땅바닥의 한 줌 흙으로 돌아가는 것이 어찌 죄악이라는 말인가?

그것은 너무나도 당연한 과정이다.

생명이 있는 것이라면 모든 것이 다 그 과정을 겪게 된다.

애벌레가 번데기가 되고, 그 번데기가 나방이 되며, 나방이 공기 중의 먼지로 사라지는 것이 죄악은 아니다.

그것 또한 자연의 법칙일 뿐이다.

어린아이가 어른이 되고, 어른이 노인이 되며, 그 노인이 한 줌 흙으로 돌아가는 것 또한 죄가 될 수는 없다.

그것 또한 자연에 속한 인간 삶의 법칙일 뿐이다.

그렇다면 도대체 흙이란 무엇인가?

차라리 이렇게 말하자!
우리는 아무것도 모르며, 오로지 자연의 법칙에 따를 뿐이라고.

하지만 지나간 인생의 봄날을 되돌아보고 추억에 잠긴다는 것은 아름다운 일이다.
그렇다.
인생은 찌는 듯 무더운 여름철도 있고, 낙엽 지는 우울한 가을날도 있는 것이다.
눈 내리는 차가운 겨울도 있으며, 때로는 봄볕 내리쪼이는 봄날도 있는 것이다.
그래서 우리의 마음은 이렇게 말하는 것이다.
"오늘은 날씨가 좋아서, 나의 기분도 봄날 같다!"
오늘이 바로 그런 날이다.
나는 온갖 꽃들의 향기로 넘치는 숲 속, 잔디와도 같이 푹신한 이끼 위에 누워 있다.
나른한 팔다리를 쭉 펴고 초록 잎새들 사이로 끝없이 높게 펼쳐지는 파란 하늘을 올려다본다.
그리고 생각에 잠긴다.
"나의 어린 시절은 어떠했었지?"
그러나 모든 것이 잊혀진 지 오래된 것 같다.

기억의 앞쪽 몇 장은 너무 오랜 시간이 흘러버려 이제는 너덜너덜 낡아빠진 성경책과도 같다.

앞쪽의 몇 장은 종이의 색깔이 변했다.

오랜 세월 속에 좀이 슬어 글씨들이 날아가고 희미해져 잘 보이지도 않는다.

그러나 책 페이지는 넘어가고, 마침내 아담과 이브가 에덴 동산에서 추방되는 부분이 나온다.

이 부분이 나오고 나서야 비로소 글씨들이 좀 선명하고 깨끗해지기 시작하여 눈으로 읽을 만한 페이지가 나오게 된다.

이 책이 나온 장소와 나온 연도가 적힌 표지만이라도 얻을 수 있다면 얼마나 좋겠는가?

하지만 지금 그런 것은 어디에도 없다.

대신 그 속에는 이미 빛바랜 전체 책장과는 다른 한 장의 깨끗한 종이가 끼워져 있을 뿐이다.

그것은 바로 우리의 '세례 증서'였다.

거기에는 우리가 태어난 날짜와 부모님의 성명, 세례를 준 대부의 이름이 적혀 있다.

그것은 그 책이 출판 연도도, 발행한 곳도 알 수 없는 정체불명의 책이 아니라는 것을 일러 주는 증거물이다.

그렇지만, 이런 식의 '처음'…….

애초에 처음이라는 것은 없는 편이 나았을 것이다.

왜냐하면 그 처음이라는 것을 아무리 잘 생각해 보아도 잘 기억나지 않기 때문이다.

사실 유년 시절의 그 온갖 생각들과 추억들은 이미 사라져 버리고 없기 때문이다.

따라서 어린 시절로 되돌아가 그 시절로부터 시작하여, 다시 또 먼 옛날로 거슬러 가 꿈을 꾸며 돌아가 보자.

그러다 보면 심술궂은 그 처음이라는 것은 점점 도망쳐 달아나 버리고 만다.

어쩌면 그 모든 것들을 기억하는 것이 가능한 일은 아닐지도 모른다.

하지만 그 처음을 기억해낼 수 있다 해도 그것이 그 때의 그것처럼 생생하지는 않을 것이다.

그리하여 우리들의 생각은 아무리 그것을 따라잡으려고 애를 써도 결코 그것을 따라잡을 수가 없다.

마치 어린아이들이 푸른 하늘과 땅이 맞닿은 지평선을 향하여 뛰어가는 것과 마찬가지이다.

끊임없이 달려가도 하늘은 여전히 대지 위에 높이 떠 있을 뿐인 것처럼 닿을 수 없다.

그것은 신기루와 같은 것이다.

그러다 어린아이는 점점 더 피로해져서 결국은 도저히 지평선에는 도달할 수가 없다.

어린아이는 그것을 깨닫고는 포기하고 말 것이다.

하지만 만약 우리가 언젠가는 한 번쯤 그 곳에 도달하게 된다면…….

그 곳, 우리 존재가 시작된 그 출발점에 있게 된다면…….

그 출발점에서 과연 우리가 기억해 낼 수 있는 것이 도대체 무엇이란 말인가?

무엇을 얼마나 기억해 내고 그 기억해 낸 것을 가지고 무슨 생각을 할 것인가?

그리고 어른이 된 지금에도 과연 그것이 의미 있는 것이라고 말할 수 있을까?

우리의 기억이란 것은, 마치 높다란 파도 속에 빠졌다가 겨우 살아 나온 강아지가 눈에서 물을 뚝뚝 흘리고 있는 것과 같다.

그 물이 시냇물이 되고 강물이 되어 바다로 가 합쳐지기엔 우린 너무 오랜 세월을 살아버린 셈이다.

그러나 내가 확실하게 기억해 낼 수 있는 것은 처음으로 밤하늘의 수많은 별들을 쳐다보게 되었을 때일 것이다.

물론 그 전에도 밤하늘의 별들은 매일처럼 나를 수없이 내려다보았을 것이지만…….

어느 날 밤이었다.

추웠다. 뺨이 너무나 차갑게 느껴지는 때였다.

어머니 품에 안겨 있었는데도 오싹오싹 몸이 떨리면서 추웠다.

아니면, 알 수 없는 어떤 두려움에 사로잡혀 있었는지도 모른다.

어쨌든 내 마음속에 무엇인가가 슬그머니 다가와 보통 때와는 다른 느낌이 들었다.

내 조그마한 몸에 대하여, 존재에 대하여 좀더 세심하게 관심을 가지도록 속삭이는 것이었다.

바로 그 때 어머니가 빛나는 밤하늘의 별들을 나에게 보여주었다.

나는 그 별들이 너무너무 신비스러웠다.

그래서 처음에는 어머니가 별들을 저토록 아름답게 꾸며 놓은 것일 거라고 생각했었다.

그러지 않고서는 그 별들을 이해할 수 없었다.

수없이 하늘에 퍼져 있는 별무리들은 강물처럼 이쪽에서 저쪽으로 흐르고 저쪽에서 이쪽으로 흐르고 있었다.

그리고 나는 이내 포근해진 마음으로 잠 속에 빠져들어 꿈나라로 여행을 떠났다.

그리고 또 언젠가 풀밭 위에 누워 있었던 일을 기억한다.

나를 둘러싼 주위의 모든 것들이 흔들거리며 나에게 사랑스런 눈짓을 보냈다.

벌레들이 처음 들어보는 이상한 소리를 내며 윙윙거렸다.

그 때 발이 여러 개 달려 있고, 날개를 팔랑거리는 이름 모를 한 무리의 작은 벌레들이 나에게로 달려와 내 이마와 눈 위에 앉아 나에게 인사를 했다.

하지만 나는 눈이 아파서 곧 소리를 질렀다.

"엄마!"

어머니는 깜짝 놀라며 소리쳤다.

"아아! 이런, 모기가 눈을 물었구나!"

어머니는 나의 눈을 들여다보았다.

나는 눈두덩이 부풀어올라 눈을 뜰 수가 없었고, 더 이상 푸른 하늘을 바라볼 수가 없었다.

그 때 어머니는 오랑캐꽃을 들고 있었다.

그 자줏빛 꽃의 싱싱하고 독특한 꽃향기가 나의 몸 구석구석까지 배어드는 것 같았다.

그래서 지금도 봄이 오고, 들에 핀 오랑캐꽃을 보게 되면, 그 때의 일이 생각난다.

그러면 나는 가만히 눈을 감고 그 때의 하늘을 마음에 되새겨보고는 한다.

그 다음으로 기억나는 것은 별들의 세계나, 오랑캐꽃보다도 더 아름다운 세계이다.

그 새로운 세계가 내 앞에 다가왔던 것이다.

그것은 부활절 아침의 일이었다.

어머니는 이른 아침 나를 깨우고 옷을 입혔다.

창문 밖 저쪽에는 오래된 교회의 지붕이 보였다.

그 교회의 겉모습은 아름답다고는 할 수 없었다.

하지만 높다란 지붕과 뾰족탑이 있었고, 그 탑 위에는 황금빛 십자가가 있었다.

다른 건물에 비하여 낡고 우중충해 보였다.

한번은 그 곳에 누가 살고 있는지 궁금해 쇠창살로 된 창틈으로 그 안을 들여다본 적이 있었다.

그 건물에는 사람의 그림자도 없었다.

그런 일이 있은 뒤, 그 건물의 문 곁을 지나칠 때마다 온몸에 오싹한 소름이 끼치곤 하였다.

왠지 그 집이 무서웠다.

사람 그림자도 찾아볼 수 없는 그 집에 과연 사람이 살기는 사는지 모든 것이 궁금했다.

부활절에는 새벽에 비가 내렸다.

하지만 날이 밝고 아침이 되면서 태양이 눈부시게 찬란한 모습으로 떠올랐다.

그리고 오래되고 역사가 깊어 보이는 교회가 있었다.

그 교회는 회색의 지붕, 높다랗게 걸린 창문, 황금빛 십자가가 달린 뾰족탑과, 종이 들어 있는 종탑 등으로 이루어져 있었다.

그 모두가 아침 햇빛 속에서 환하게 빛나기 시작하였다.

갑자기 높다란 창문을 통하여 쏟아져 들어오는 눈부신 햇살이 이리저리 춤추며 움직이기 시작하였다.

그 햇살은 너무나 밝아 쳐다볼 수 없을 정도로 눈부셨다.

나는 햇살 때문에 눈을 감았다.

그러자 그것은 나의 영혼 깊숙이 파고들어 내 마음속에 있는 모든 것을 빛나게 만들어 주었다.

또한 나를 향기롭게 만들어 주었고, 나로 하여금 노래하게 만들어 주었으며, 내 가슴을 떨게 만들어 주는 것 같았다.

마치 나의 마음속에서 새로운 생명이 싹을 틔웠고, 그 뿌리는 나와 전혀 다른 사람인 듯한 기분이 들었다.

나는 그것이 궁금했다.

"어머니, 저 소리는 무슨 소리예요?"

"얘야, 그 소리는 교회에서 들리는 부활절 찬송가 소리란다."

어머니는 자상하고도 다정한 목소리로 알려 주었다.

그 당시, 나의 마음을 파고들었던 그 맑고 성스러운 노래가 무슨 노래였는지 나는 아직도 모른다.

그것은 아마도 루터(종교 개혁자)의 굳어 버린 영혼에까지 스며들었던 옛날의 찬송가임이 틀림없을 것 같다.

나는 그 뒤, 그러한 노래를 두 번 다시 듣지 못했다.

그러나 지금도 베토벤의 '아다지오'나, 마르첼로의 성가, 헨델의 합창곡, 스코틀랜드의 높은 산 위에서나, 티롤 지방의 소박한 민요를 들을 때면, 그 때 그 높은 교회의 창문들이 다시 빛을 발하는 것 같다.

그 때 교회에서 들려오는 맑은 오르간 소리가 나의 영혼 속으로 깊숙이 스며드는 것 같았다.

그것들이 나에게 새로운 세계를 열어 보여 주는 것 같았다.

별이 총총한 밤하늘이나, 오랑캐꽃 향기보다도 더 아름다운 어떤 세계가 내 앞에 펼쳐지려 하고 있었다.

하지만 난 그것을 알지 못하는 어린아이였을 뿐이었다.

이런 것들이 나의 어린 시절의 기억들이다.

그리고 그 사이사이에 어머니의 자상한 얼굴과, 인자하면서도 엄하던 아버지의 눈빛이 떠오른다.

그 밖에 정원과 포도 덩굴과 연초록빛의 잔디가 떠오른다.

그리고 오래된 귀중한 그림책들이 있다.

대체로 이런 것들이 빛바랜 나의 처음 몇 페이지의 기억 속에서 찾아낼 수 있는 전부이다.

그리고 그 이후부터 모든 것이 갈수록 선명하고 밝아진다.

그 때를 기준으로 하여 나의 지난 기억들 모두는 아주 선명하게 떠오르게 된다.

숱한 이름들과, 여러 사람들의 얼굴 모습들이 나의 머릿속에 모두 떠오른다.

아버지, 어머니뿐만 아니라, 형제자매, 친구들과 선생님들의 모습이 떠오른다.

그 밖에 낯선 사람들의 모습도 가끔 떠오른다.

그렇다!

낯선 사람들에 관한 수많은 기억들이 하나하나 나의 추억 속에, 차곡차곡 담겨져 있었던 것이다!

두 번째 추억

우리 집에서 가까운 곳에는, 그러니까 금빛 십자가가 달린 그 오래된 교회의 건너편에는 큰 집이 하나 있다.

교회 건물보다 더 높고 우중충한 건물이 한 채 있었는데, 거기에는 많은 종탑들이 있었다.

하지만 그 건물 종탑의 꼭대기에는 금빛 십자가들이 없었다.

대신 그 꼭대기에는 돌로 조각한 독수리가 앉아 있었다.

그 바로 위쪽에 솟아 있는 제일 높은 탑 꼭대기에서는 희고도 푸른 커다란 깃발이 펄럭이고 있었다.

그 문으로부터 계단을 타고 올라가도록 되어 있었다.

그 계단 양쪽에는 기마병 두 사람이 언제나 보초를 서고 있었다.

건물에는 유난히도 창문들이 많이 나 있었다.

창문마다 금색 수술을 단 붉은 비단 커튼이 쳐져 있었다.

대단히 화려하고도 사람의 눈을 끄는 커튼이었다.

나는 그 커튼이 주는 색깔의 강렬함 때문에 그것을 오래도록 바라보기도 했었다.

앞뜰에는 오래된 보리수나무들이 병풍처럼 빙 둘러서 있었다.

여름이 되면 그 보리수나무들이 진초록 잎을 달고는 회색 담벼락에 그늘을 드리우고 있었다.

그 아래 잔디밭에는 희고 향기로운 꽃잎들이 흩어져 있었다.

나는 그 안을 자주 들여다보곤 하였다.

궁금했다.

누가 그 안에서 사는지, 거기 사는 사람들은 어떤 사람들인지, 무얼 먹고 사는지, 궁금하지 않은 것이 없었다.

그런 어느 날 저녁때였다.

그 집 정원의 보리수나무에서는 향기가 뿜어져 나오고, 창문마다 환하게 불이 들어와 있었는데 거기에서 불빛이 새어 나오고 있었다.

사람 그림자도 여기저기서 어른어른 보였다.

위층에서는 음악이 흘러나왔다.

아래쪽에는 쉴 사이 없이 마차가 와서 멈추어 서고 있었다.

마차가 도착할 때마다 남녀 어른들이 마차에서 내려 서둘러 그 집 층계를 타고 올라가곤 하였다.

그들은 모두 우아하고 아름다워 보였다.

남자들은 가슴에 별 모양의 훈장을 달았고, 아름다운 옷을 입은 여자들은 머리에 예쁜 꽃을 꽂고 있었다.

나는 그 때 생각했다.

"나는 왜 그 곳에 들어가지 못하는 걸까?"

알 수 없는 일이었다.

무엇에 이끌리듯 그 안으로 빨려들어가는 나 자신을 잠시 생각했지만, 무엇이 나를 끌어당기는지는 알 수 없었다.

어느 날 아버지가 나의 손을 잡고 말했다.

"애야! 우리 저 성 안으로 들어가 볼까?"

"좋아요, 아버지."

"하지만 공작 부인과 이야기할 때에는 예의바르게 행동해야 한다."

"예!"

"그리고 그 부인의 손등에 입맞춤하는 것도 잊어서는 안 된다."

"예! 잊지 않겠어요."

지금 생각하니, 나는 그 때 여섯 살이었나 보다.

나는 여섯 살 아이들이 기뻐할 바로 그만큼 무척 기뻐하였다.

소원이 이루어질 것 같은데 기쁘지 않은 아이는 없을 것이다.

나는 그 이전부터 저녁이면 방 안에서 불빛이 새어 나오는 그 창문에 비치는 누군가의 그림자를 보았다.

아니, 그림자의 주인공에 대하여 남몰래 수없이 생각했다.

누굴까?

그 집에 사는 공작 내외분에 대하여, 다른 사람들이 여러 가지로 칭찬하는 말들을 들었다.

그 분들은 인정이 많고, 가난한 사람들과 병자들에게 도움과 위안을 베풀어, 착한 사람들을 지켜 준다고 했다.

또한 나쁜 악인들을 벌하기 위하여, 하느님이 이 세상에 내보낸 사람들 같다는 이야기를 여러 번 들었다.

그렇기 때문에 나는 벌써부터 그 성안에서 일어나는 일들을 마음속에서 그려 보고 있던 차였다.

나에게는 공작님 내외분이 '호두까기 인형'이나, 납으로 만든 장난감 병정처럼 아주 편한 사람으로 생각되었다.

많은 사람들이 그렇게 칭찬을 많이 해 주는 사람이 딱딱하고 무서운 사람일 수는 없다고 생각했다.

아버지와 함께 층계를 올라가고 있을 때, 나의 가슴은 나도 모르게 심하게 뛰고 있었다.

"공작님께는 '전하'라고 부르고, 공작 부인께는 '비전하'라고 불러야 한다."

아버지가 이렇게 일러 주는 동안, 벌써 큰 문이 활짝 열렸다.

내 눈앞에는 반짝이는 눈을 가진 한 부인이 서 있었다.

그 부인은 키가 무척 컸다.

그 부인은 내 곁으로 다가와 손을 내밀 것 같았다.

부인의 얼굴에는 오래 전부터 이미 잘 알고 있었던 사람 같은 친근함이 서려 있었다.

두 눈에는 신비스러운 미소가 떠올아 있었다.

왜 그러는지 아버지가 문 앞에서 허리를 오래도록 깊게 구부리고 있었다.

나는 가만히 참고 있을 수가 없었다.

나는 아버지가 그러고 있는 동안 나도 모르게 내 기분을 이기지 못하고 그 아름다운 부인에게로 다가갔다.

그리고는 그 부인의 목에 매달려 어머니에게 하듯이 뽀뽀를 하고 말았다.

그래야만 될 것 같았다.

그 아름답고 고상해 보이던 부인은 내 행동을 기꺼이 받아들이며, 나의 머리를 쓰다듬어 주고는 미소를 지었다.

그런데 분위기가 좀 이상하다는 걸 알아차린 것은 시간이 좀 지난 후였다.

아버지가 나의 손을 끌어당기며 꾸중을 했다.

"얘야! 얌전하게 있지 못하고 왜 그러니? 너, 또 그러면 다시는 데리고 오지 않겠다."

그 순간 나는 머릿속이 혼란해지면서 얼굴이 뜨겁게 달아올랐다.

나는 내가 무엇을 잘못했는지도 알지 못한 채, 아버지에게 꾸중을 듣고 있었다.

나는 공작 부인을 쳐다보면서, 그 분이 나를 감싸주지 않을까 하는 기대를 하고 있었다.

내가 아버지에게 야단맞는 것은 옳지 못한 일이라고 말해 줄 것이라 믿었다.

그 부인의 표정은 밝고 부드러웠다.

하지만 어딘지 모르게 엄숙한 표정이 떠올라 있을 뿐이었다.

나는 순간적으로 그런 표정으로는 내 편이 되어 줄 것 같지 않다는 것을 깨달았다.

하지만 그것을 분명하게 알게 된 것은, 내가 들어선 방 안에 수많은 신사 숙녀들이 모여 있는 것을 본 이후였다.

나는 그 방 안에 모여 있는 신사 숙녀들을 멀뚱히 바라보았다.

그들 중에 누군가는 분명 내 편을 들어줄 것이라 생각했다.

그러나 그들은 나를 향하여 웃음만 터뜨릴 뿐이었다.

나는 내 편을 얻기는커녕 그들의 웃음거리가 되어버린 것이었다.

나는 눈물을 흘리며 곧장 문밖으로 뛰쳐나갔다.

층계를 내려와 앞뜰에 있는 보리수나무 곁을 지나쳐 곧장 집으로 내달렸다.

집으로 돌아온 나는 어머니의 품에 안겨 서럽게 흐느껴 울었다.

어머니는 깜짝 놀라며 물었다.

"무슨 일이 있었니?"

"응, 응."

"무슨 일이냐? 어디에 갔었는데?"

"공작님 집에 갔었어요."

"혼자서?"

"아버지하고……."

"그런데 왜 울어?"

"내가 비전하 부인에게 매달려……."

"저런, 그래서?"

"아버지가 그 집에 가면서 그러셨어. 그 부인은 너그럽고 좋은 분이

라고. 그래서…….”

“그래서 어떻게 했는데?”

“엄마한테 하듯이 공작 부인에게 매달려 뽀뽀를 했어요.”

“오! 그래서 부인에게 야단을 맞았구나.”

“아니, 그게 아니라…….”

“그럼?”

“아버지가 꾸중을 하고, 다시는 안 데리고 간다고 그랬어요.”

“저런…….”

어머니는 나의 등을 어루만져 주며 말했다.

“남들한테 그러지 말라고 엄마가 늘 말하지 않던? 더구나 그 분들은 아주 지체 높으신 분들이잖니?”

“하지만 나를 예뻐해 주시는 것 같아서…….”

나는 이상하다는 듯 이렇게 말했다.

“물론, 예뻐해 주시겠지. 그렇다고 그걸 겉으로 표시하거나, 함부로 행동으로 나타내서는 안 되는 거란다.”

나는 어머니만은 내 편이 되어 나를 달래 줄 것 같았다.

어머니는 내 마음을 이해해 줄 것이라고 믿었는데, 그렇지가 않은 것 같아 계속 울었다.

나는 울면서 어머니에게 물었다.

어머니를 이해할 수 없었다.

아버지도 공작 부인도 모두 이해할 수 없었다.

“사람을 좋아하는 게 나쁜가요?”

“아니지.”

“좋아하는 사람에게 좋아한다는 것을 행동으로 표시하면 안 되나요?”

“할 수도 있지만, 때에 따라 다르단다.”

"사람을 좋아하는 것도 나쁜 일인가요?"

"그런 건 아니지만, 아버지 말씀에 따라야지. 너도 어른이 되면 알게 될 테지만, 아름다운 부인이 다정한 눈길을 준다고 해서, 아무 생각 없이 무조건 목에 매달리거나 뽀뽀를 해서는 안 된단다. 알아듣겠니?"

어머니는 있는 정성을 다해 나에게 자상하게 타일러 주고 설명해 주었다.

그렇지만 난 그 모든 것들을 이해할 수가 없었다.

그 날은 우울한 날이 되고 말았다.

하루 종일 우울한 기분에 싸여 집 밖으로 나가지도 않았다.

아버지는 밤늦게 돌아오셔서 나를 또 꾸짖었다.

나는 무척 속이 상했지만 아버지에게 그런 태도를 보이지는 않았다.

"다시는 그렇게 버릇없게 굴어서는 안 된다."

어머니는 그날 밤 나를 잠자리까지 데려다 주며 달랬다.

"앞으로는 조심하거라."

"예!"

나는 기도를 올린 후, 잠자리에 들었다.

그러나 잠은 오지 않았다.

나와 남이 무엇인지, 좋아해도 되는 사람과 그렇지 않은 사람을 어떻게 구별해야 되는지 어렴풋이 그런 생각들이 머릿속을 꽉 메우고 있었기 때문이다.

나는 어머니가 들려 준 말을 다시 한 번 떠올리며 생각에 잠겼다.

"좋아해서는 안 된다. 그 분들은 남이잖니?"

그러나 어머니의 그 말을 쉽게 이해할 수는 없었다. 또한 그 말을 실천에 옮긴다는 것이 과연 무엇을 의미하는 건지도 이해할 수 없었다.

불행한 인간의 마음이여!
봄이 다 가기도 전에
너의 잎은 꺾이고
날개의 깃털마저 뽑히는구나!

인생의 새벽 안개가 영혼의 그 은밀한
꽃받침을 열어 주면
그 내부는 사랑이라는 향기로 가득 찬다.

우리들은 서로 걷는 것,
말하는 것 등을 배운다.
하지만 누구도 우리에게
사랑을 가르쳐 주지는 않는다.

사랑이란 우리들의 생명과 같은 것,
그것은 타고날 때부터 가지고 오는 것.
사랑은 생존의 밑바탕이자,
마음의 중심이다.

하늘과 땅이 서로 당기고 이끌리는
영원한 중력의 법칙들이
서로 결합하는 것과 같이
인간의 마음도 서로 이끌리고, 이끌어 가며
사랑이라는 영원한 법칙에 따라가는 것이다.

한 떨기 꽃도
햇빛이 없으면 피지 못하듯,
사람도 사랑 없이는
살아가지 못한다.

낯선 세상의 차가운 진눈깨비가
어린아이의 마음속으로 불어닥칠 때
하느님의 빛과 사랑처럼
부모의 눈빛에서 사랑의 따뜻한 햇살이
아이에게 비추어지지 않는다면,
어린아이의 가슴은 그 두려움을
어떻게 견디어 낼 수 있을까?

　사람들은 어린아이의 마음속에서 눈뜨는 동경을 가장 순수하고 가장 아름다운 사랑이라고들 말한다.
　그것은 온 세계를 끌어안는 뜨거운 사랑이다.
　해맑은 눈동자가 그를 향하여 열려 있을 때 나타나는 사랑이다.
　그 사랑은 서로의 목소리를 알아들을 때 환호하는 사랑이다.
　그것은 옛날부터도 이루 헤아릴 수 없는 사랑이다.
　어떤 기계로도 그 깊이를 잴 수 없는 사랑이다.
　깊고도 깊은 우물이며, 퍼내고 또 퍼내도 마르지 않는 맑은 샘물의 원천이다. 그러므로 사랑이 무엇인지를 아는 사람이라면, 다음과 같은 사실을 알아야 한다.

사랑에는 척도가 없다!
사랑에는 많고 적음이 없다!
사랑을 할 때에는
온 마음과 영혼을 다 바치고,
사랑을 할 때에는
온 정열과 정성을 다해야 한다.

하지만 우리 주변에는 자신에게 주어진 생애의 절반도 살기 전에, 그 사랑이 다 없어지는 경우를 보게 된다.

그래서 모든 것이 다 사라지고 그것의 절반도 되지 않은 적은 부분만 남게 되는 경우를 가끔 보게 된다.

이런 아이들은 세상에 다른 사람, 타인이라는 존재가 있음을 알게 되면서부터, 어린아이의 세계와는 멀어지게 된다.

이렇게 되면 사랑의 샘물은 물줄기를 잃게 되고, 세월이 흐름에 따라 아예 말라 버리고 만다.

우리의 눈은 빛을 잃어버리게 된다.

우리는 어지러운 이 세상에서 우울한 표정을 짓고, 서로 그저 스쳐 지나가 버리고 말 것이다.

우리는 서로 마주쳐도 거의 인사를 나누지 않는다.

이것은 인사를 했다가도 거절당하면 마음이 상한다는 사실을 잘 알기 때문이다.

인사를 한 번 나눈 사이이며 악수도 한 사람들과 헤어져야 한다면, 그 때는 얼마나 마음이 쓰라린가를 알기 때문이다.

이럴 때에는 자존심도 상하고 마음도 아프다.

영혼의 날개는 깃털을 잃어버린다.

길가의 꽃잎은 짓밟히거나 찢겨 시들어버린다.

마르지 않는 사랑의 샘에는 겨우 몇 방울밖에 되지 않는 물만 남아 있다.

거기에 남아 있는 물은 우리의 혀를 겨우 적셔 줄 뿐이다.

간신히 목이 타 죽는 것만을 면할 수 있게 해 줄 뿐이다.

우리는 그 몇 방울의 물을 사랑이라고 말한다.

겨우 갈증만 면하게 해 주는 그것을 사랑이라 말하며 살아가고 있을 뿐이다.

그것은 순수하지도 않고 완전하지도 않은 것이다.

결코 천진난만한 어린아이가 가지고 있는 그런 사랑이 아니다.

그것은 뜨거운 열기를 뿜어대며 햇빛이 강렬한 사막 위로 떨어지는 빗방울이 아니다.

또한 스스로 사라져 가는 사랑이며 요구하는 사랑이지, 베풀어주는 사랑도 아니다.

나의 것이 되기만을 바라는 사랑이지, 결코 자기 자신을 모두 바치는 헌신적인 사랑이 아니다.

바로 이기적인 사랑, 절망적인 사랑일 뿐이다.

그것이 우리가 말하는 보통 사람들의 사랑이다.

그것을 우리들은 사랑이라 부르며 애달파한다.

시인들이 노래하고 젊은 남녀들이 서로 믿는 사랑이란 것이 바로 이런 유형의 사랑이다.

그것은 활활 타오르다가 이내 꺼져 버려 재만 남는 사랑이다.

언제 그랬느냐는 듯이 멀리 사라져 버린 그 사랑은 어디에서도 다시는 찾아낼 수 없게 된다.

불꽃으로 따뜻하게 해 주지도 못하고, 연기와 재만 남기고 사라져 간 사랑이다.

안타까운 사랑이지만 사람들은 그러한 사랑이 안타깝다는 것조차 알지 못한다. 그러고는 사랑을 떠나보내고 그것을 영원히 잃어버리게 된다.

우리는 그 사랑의 불꽃을 영원한 태양이라고 믿었던 시절이 있었다.

지지도 않고 꺼지지도 않는 뜨거운 불꽃처럼 오래도록 영원할 것이라 믿었던 그런 시절이 내게도 있었다.

하지만 그 빛이 밝으면 밝을수록 그 뒤를 이어 따라오는 암흑은 더 길고 더 어둡기만 하다.

사랑이 깊을수록 이별에서 오는 고통은 더욱더 고통스럽고 괴로울 뿐이다.

그리하여 주위가 온갖 어둠에 묻힐 때, 우리가 뼈저리게 고독을 느낄 때 우리는 고통을 느낀다.

모든 사람들이 우리들 곁을 스쳐 지나가면서도 우리를 몰라볼 때 우리는 고통을 느낀다.

그럴 때면 가끔 오래 전에 잊었지만, 가슴속에 여전히 남아 있는 어떤 감정이 되살아난다.

우리는 그 감정이 무엇인지 정확하게 알지 못한다.

그것은 사랑이라고 말할 수도 없다.

그렇다고 우정이라고 말할 수도 없는 그것은 확실치 않은 감정의 덩어리들이다.

어느 순간 우리는 냉정하게 우리를 스쳐 지나가 버리는 사람들을 붙들고 이렇게 묻고 싶어진다.

'나를 모르세요?'

사람들은 이상한 눈으로 우리를 바라볼 테고, 우리는 다시 마음이 급해져 묻고 싶을 것이다.

'정말 모르세요?'

그런 기분에 빠졌을 때 맺어지는 인간 관계는 형제 사이나 부부 사이, 혹은 친구 사이보다 훨씬 더 가깝게 느껴지게 될 것이다.

잃어버렸던 무엇인가를 되찾은 느낌과 더불어, 그 잃어버린 것을 그에게서 발견할 수 있을지도 모른다는 희망을 심어 주기 때문이다.

그렇게 되면, 다른 사람, 곧 타인은 우리의 가장 가까운 이웃이라는 성경 말씀이 떠오른다.

그 말은 아주 오래된 속담처럼 우리의 영혼 속으로 파고들어 오래도록 남아 있게 될 것이다.

그런데 우리들은 그들과 똑같이 왜 아무 말도 하지 않은 채, 그들을 냉정하게 지나쳐 버려야 하는가?

우리들은 그것에 관해서 아는 것이 아무것도 없다.

단지 자연의 법칙에 따를 수밖에 없다.

두 개의 기차가 양쪽에서 나란히 레일 위를 서로 엇갈리게 지나간다.

반대쪽 기차의 누군가가 당신에게 인사하고 싶어하는 시선을 보낸다.

그럴 때 당신은 손을 내밀어 그대를 지나쳐 가는 그의 손을 잡아 주어야겠다는 마음을 가져 볼 수도 있을 것이다.

그렇게 하게 되면 당신은 이미 이해하게 될 것이다.

그런 당신은 충분히 이해받을 수 있다.

그렇게 하는 당신은, 이 세상 사람들이 왜 아무 말도 없이 그저 무표정한 얼굴로 서로의 곁을 지나가게 되는지 알게 될 것이다.

옛날 어느 훌륭한 사람은 이런 말을 하였다.

"작은 배가 거대한 파도를 만나 부서진 것을 본 적이 있다.

그 작은 배의 조각들이 바다 위를 떠다니는 것을 본 적이 있다.

그 중 두 개의 조각이 서로 만나 잠시 함께 바다 위를 떠다녔다.

그러나 얼마 후 폭풍이 몰아치면서 한 조각은 서쪽으로 갔다.

다른 한 조각은 동쪽으로 가 버렸다.

그 두 조각은 이 세상에서 다시는 영원히 만나지 못할지도 모른다.

인간에게 주어진 운명도 그것과 마찬가지이다.

다만 그와 같이 거대한 파도를 본 사람이 아무도 없을 뿐이다."

세 번째 추억

어린아이의 마음에 하늘의 먹구름 같은 것이 껴 있다면 그것은 그리 오래 가지 않는다.

그냥 따뜻한 눈물의 비를 조금 뿌리고 나면, 예전처럼 다시 맑게 개어 버리기 때문이다.

나는 그 일이 있은 후 얼마 지나지 않아 다시 그 성의 계단을 올라갈 수 있었다.

그 때, 공작 부인은 예전과 똑같은 온화한 얼굴로 내게 손을 내밀었다. 그러고는 그 아름다운 손에 내가 키스하는 것을 정식으로 허락하셨다.

부인은 나이 어린 공자와 공녀들을 데리고 와서 나와 어울리게 해 주셨다.

우리들은 마치 오래 전부터 알고 지냈던 사이처럼 재미있게 놀았다.

아무런 거리낌 없이 우리들은, 정말 같이 노는 것의 재미가 무엇인지도 모르면서 즐거운 시간을 보냈다.

그 후로 나는 학교에서 돌아오면 책가방을 내려놓기가 바쁘게 그 성으로 달려가서는 공작님 댁의 자제분들과 함께 놀았다.

그 때 나는 벌써 학교에 다니고 있었다.

하지만 학교 공부보다 내 마음을 끌어당기는 것은 그 성으로 놀러가는 시간이었다.

이미 놀러 와도 좋다는 허락을 받은 상태였던 것이다.

지금 생각해 보아도 그것은 너무나도 즐거운 시절이었다.

하지만 다시는 찾을 수 없는 시절이 되어 버렸다.

그 곳에는 우리들에게 필요한 것은 무엇이든지 다 있었다.

갖고 싶은 것이 있으면 그것을 갖고 마음껏 질리도록 놀 수 있었다.

그 당시 우리 집에는 없었던 수많은 장난감들에 정신이 팔려 그 성에 놀러 갔던 것도 틀린 말은 아닐 것이다.

그 나이의 어린아이가 흥미를 가질 만한 장난감이었다.

만약 내가 장난감 가게의 진열장에서 그 장난감을 가리키며 어머니에게 사 달라고 조른다면 어머니는 분명 거절할 것이다.

저런 것을 사려면 가난한 사람들이 일주일 동안 충분히 생활하고도 남을 만한 돈이 필요하다고 말씀하셨을 것이다.

그런데 그러한 장난감들이 그 성안에는 얼마든지 있었다.

장난감 가게의 진열장에서 보았던 것뿐만 아니라 어디에서도 볼 수 없는 장난감도 많았다.

그리고 어떤 때는 공작 부인에게 양해를 구하고 나는 그것들을 집으로 가져갈 수도 있었다.

그러면 나는 그것들을 집으로 가져가 어머니에게 보여 드린다.

경우에 따라서는 나중에 내가 그것을 가질 수도 있었다.

아버지와 함께 서점에서 본 아름다운 그 그림책도 아주 비싼 책이어

서 돈이 많거나, 착한 아이가 아니면 받을 수 없는 것이었다.

하지만 그 성에는 그러한 그림책이 여러 권 있어서 마음껏 책장을 넘기며 볼 수 있었다.

나는 우리 집에는 없는 이런저런 책들의 책장을 넘기며 몇 시간이고 앉아서 책을 볼 수 있는 특권을 누렸다.

어린 공자와 공녀들의 물건은 그것이 책이든 장난감이든 간에 나의 것이기도 했다.

적어도 나는 그렇게 믿고 있있다.

내가 원하기만 하면 무엇이든지 내 마음대로 갖고 갈 수 있었다.

그뿐만 아니라, 가끔 그것을 내 것인 양 다른 아이들에게 주어 버린 적도 있었으니까 말이다.

이러한 의미에서 볼 때, 나는 가진 것을 함께 나누는 나이 어린 공산주의자였다고도 할 수 있다.

언젠가는 이런 일도 있었다.

공작 부인께서 금으로 만든 뱀을 갖고 놀라며 우리들에게 주셨다.

공작 부인의 팔에 감겨진 뱀의 모양이 마치 살아 움직이는 뱀처럼 보였다.

너무나 신기해서 그 황금 뱀을 갖고 싶다는 생각이 저절로 들었다.

나는 그것을 갖고 놀다가 집으로 돌아올 때쯤에는 그것을 가지고 나와 내 팔에 감아보았다.

역시 정말 뱀처럼 생겼다.

그것으로 어머니를 아주 놀라게 해 드리고 싶었던 것이다.

그 당시 나는 그 성에서 가지고 온 물건들을 모두 어머니에게 보여 주곤 했다.

그런데 집으로 돌아가는 길에 나는 한 여자를 만났다.

그 여자는 금으로 된 뱀을 보고는 혹해서 구경 좀 시켜 달라며 말을 걸어 왔다.

그러면서 하는 말이 만약에 자기에게 그와 같이 금으로 된 뱀이 있다면, 감옥에 있는 자기의 남편을 구해 낼 수도 있을 것이라고 했다.

그것을 판 돈으로 감옥에 들어가 있는 남편을 위해 쓸 생각이었던 모양이다.

그 말을 들은 나는 단 1분도 지체하지 않았다.

그 황금 뱀을 그 여인에게 주고는 아무 말 없이 집 쪽으로 뛰어가 버렸다.

그 다음 날이었다.

내가 여인에게 준 황금 뱀 때문에 성에서는 대단한 소동이 일어났다. 그 여인은 성으로 끌려 와 울고 있었다.

사람들은 그 여자가 황금 뱀을 나한테서 훔친 것이라며 웅성거렸다.

나는 그 광경을 보고서 당돌하게도 화를 냈다.

그 금으로 된 뱀 팔찌는 내가 아름다운 정신으로 가련한 여인에게 준 것이라고 말했다.

그래서 그것을 도로 빼앗을 생각은 전혀 없다고 크게 말했던 것이다.

그 일이 있은 후, 결과가 어떻게 되었는지는 잊어버렸지만 이것만은 기억난다.

공작 부인께서는 내가 집으로 갖고 가고 싶은 물건이 있으면, 그것이 어떠한 것이든 일단 부인에게 보여주고 허락을 받은 후에 가져가라고 했다.

그 이후로도 내가 '내 것'과 '네 것'을 구별하기까지는 퍽 오랜 시간이 걸렸다.

그것은 마치 내가 빨간색과 파란색을 오랫동안 구별하지 못했던 것과도 같았다.

나는 '내 것'과 '네 것'이라는 것의 차이를 꽤나 혼동하고 있었던 것이다.

나의 것이 너의 것이 되고, 너의 것이 나의 것이 되었던 시절의 이야기이다.

한번은 그런 일로 친구들에게 웃음거리가 되기까지 했다.

어머니가 나에게 사과를 사 오라며 1그로센을 주었다.

내가 과일 가세에 가 사과를 샀을 때 그 값은 5페니히면 충분했다.

나는 어머니가 주신 1그로센을 과일 가게 주인에게 내밀었다.

그랬더니 그 가게의 여주인은 아주 서글픈 표정을 지으며 말했다.

"오늘은 하루 종일 아무것도 팔지 못했단다. 그래서 거스름돈 5페니히를 거슬러 줄 수가 없구나. 애야, 그냥 1그로센어치를 사면 안 되겠니?"

하지만 그 때 나는 내 주머니 속에 5페니히가 들어 있다는 것을 기억해 내고는 아주 기뻤다.

이 어려운 문제를 그것으로 해결할 수 있다고 생각한 것이다.

5페니히의 거스름돈이 없으니, 내가 주머니 속에 있는 5페니히를 그녀에게 주면, 그녀는 그것으로 내게 거스름돈을 내 주면 될 것이라 생각했다.

나는 5페니히의 동전을 과일 가게 여주인에게 주면서 말했다.

"이걸로 저에게 거스름돈을 주시면 되잖아요."

그러나 그 여주인은 나의 말을 알아차리지 못하는 눈치였다.

그녀는 아까 내가 낸 1그로센을 나에게 도로 돌려주며 사과 값에 해당하는 5페니히의 동전만 받으려 했다.

그 후로도 나는 거의 매일같이 그 성으로 갔다.

그리고 나이 어린 공자와 공녀들에게 가서 그들과 함께 놀았다.

그리고 함께 프랑스 어를 배우기도 했다.

참, 또 하나의 기억이 있다.

그것은 공작의 딸인 마리아 공녀였다.

그 당시 소녀였던, 마리아 공녀의 어머니는 그녀를 낳다가 세상을 떠났다고 했다.

그러니까 내가 만난 공작 부인은 공작의 두 번째 부인이었던 것이다.

내가 공작의 딸인 마리아라는 소녀를 처음으로 만난 것이 언제인지는 분명하게 기억나질 않는다.

그러나 그녀는 내 기억의 어둠 속에서 서서히 나타났다.

마치 어둠이 걷히고 새벽이 다가오듯이 그녀는 나타났다.

그러자 그녀에 관한 모든 기억들이 선명하게 그 모습을 드러냈다.

처음에는 몽롱한 그림자처럼 느껴지더니, 차츰 그 모습이 뚜렷해지고 점점 더 가깝게 나에게 다가왔다.

그리하여 마침내는 내 마음 바로 앞에, 폭풍우가 몰아치던 한밤중이 지나고 갑자기 검은 구름의 장막이 벗겨졌다.

그러자 맑게 갠 아침처럼 분명하고 선명하게 그녀가 내 앞에 그 모습을 드러냈다.

그 소녀는 항상 병을 앓는 듯 얼굴이 창백했으며, 별로 말도 없는 조용한 사람이었다.

내가 그 소녀를 처음 만났을 때부터 그녀는 늘 병상에 누워 있었다.

분명 어디가 아픈 사람이라는 생각이 조금씩 들기 시작했다.

두 남자가 그 소녀가 누워 있는 침대를 통째로 운반하여 우리들이 놀고 있는 방으로 들어왔다. 우리는 그 때만 침대에 누워 있는 그녀의 얼굴을 볼 수 있었다.

그 소녀는 순백색의 흰옷을 입은 채 항상 두 손을 깍지 끼고 침대에 비스듬히 누워서는 우리들을 바라보았다.

얼굴은 백지장처럼 창백했다.

표정은 온화하고 아름다웠으며 특히 두 눈은 말할 수 없을 정도로 깊고 신비로웠다.

나는 어디서도 그런 눈을 다시 본 적이 없다.

그녀는 우리들이 노는 모습을 지켜보았다.

그러다 피곤해지면 자기 방으로, 왔던 모습 그대로 다시 가 버렸다.

그래서 나는 종종 그 소녀 앞에 서서 생각에 잠기곤 했다.

과연 이런 사람도 '남'이라고 해야 하는 것인가?

혼란스러웠다.

내 스스로에게 물어 보았지만 답을 알아낼 수는 없었다.

내가 그런 혼란스러운 생각에 빠져 있을 때, 그 소녀는 가끔 내 머리 위에 살며시 손을 얹어 놓았다.

그럴 때면 나는 온몸이 전기가 흐르는 듯 찌르르했다.

그 자리에 못박힌 듯이 서서 전혀 움직일 수 없었다.

입을 열어 말할 수도 없었다.

다만 내가 할 수 있는 일이라곤 그 소녀의 깊고 신비로운 두 눈을 들여다보는 것뿐이었다.

그 소녀는 우리들에게 별로 말을 걸지 않았다.

하지만 그 눈초리만큼은 우리들이 놀고 있는 모습 하나하나를 열심히 뒤따르고 있었다.

그리고 우리들이 아무리 야단법석을 떨며 시끄럽게 굴어도 결코 시끄럽다거나 짜증이 난다는 불평 한 마디 없었다.

그럴 때는 그저 자기의 두 손을 하얀 이마 위에 얹고서 마치 잠든 것처럼 두 눈을 감았다.

그러나 어떤 때에는 그 소녀의 병이 좀 나아지기도 했다.

그럴 때면 소녀는 침대에서 일어나 앉아 우리를 지켜보기도 하였고, 그 소녀의 얼굴에는 아침해와 같은 발그레한 빛이 떠올랐다.

발그레하게 붉어진 그녀의 얼굴은 무엇인가를 원하기라도 하듯 그렇게 환하게 빛났다.

간혹 가다가는 우리에게 말을 걸기도 했다.

때로는 자신이 알고 있는 여러 가지 재미있는 이야기를 우리에게 들려주기도 했다.

나는 그 소녀가 몇 살이었는지 알지 못한다. 기억할 수가 없다.

겉모습은 연약한 어린아이 같기도 했다.

하지만 진지하고 조용한 태도로 보아서는 어린아이 같은 구석이 전혀 없었다.

사람들은 그 소녀에 대해 이야기를 할 때면, 자기도 모르는 사이에 목소리를 낮추고 조용조용 말하곤 했다.

모두들 그 소녀더러 천사라고 말했다.

나는 그 소녀에게 착하다든지, 사랑스럽다든지 하는 말 이외의 다른 말을 하는 사람을 그 때까지 보지 못했다.

나는 항상 움직이지도 못하고, 말없이 침대에만 누워 있는 그녀가 불쌍하다는 생각이 들었다.

그 소녀는 일평생 침대에 누워 걸을 수 없을 것 같았다.

하고 싶은 일도 아무것도 할 수 없을 것 같았다.

이런 이유로 나는 그녀가 아무런 즐거움도 느끼지 못할 것 같은 막연한 생각이 들었다.

언제고 영원한 안식처로 떠나는 그 날까지 그저 그렇게 병상에 누운 채 지낼 것이다.

가고 싶은 곳이 있어도 자기가 직접 갈 수 없는, 사람들에게 운반되어 다닐 수밖에 없는 그녀의 운명이 불쌍하고도 가련했다.

그렇다면 병상에 누워 꼼짝도 할 수 없는 그 소녀를 누가 왜 이 세상으로 보냈단 말인가?

차라리 천사들의 품에 안겨 편히 쉬는 편이 낫지 않았을까?

차라리 이 세상에 태어나지 말고 하늘 나라의 천사들과 함께라면 그녀에게는 더욱 좋을 것 같았다.

그랬다면 그림에 나오는 것처럼 천사들이 그녀를 커다랗고 부드러운 날개에 태워 하늘 높이 날아다녔을 텐데…….

그런 생각들이 그녀를 볼 때마다 내 머릿속에 떠올랐고 나는 그 생각들 때문에 괴로웠다.

나는 그 소녀가 겪고 있는 고통과 슬픔을 조금이나마 덜어 주기 위해, 그 소녀와 함께 그 고통을 나누지 않으면 안 될 것 같은 느낌이 언뜻 들었다.

그러나 이러한 나의 생각을 그 소녀에게 고백할 수는 없었다.

왜냐하면, 나 자신도 그것이, 그런 감정이 무엇인지, 그런 감정이 왜 생기는지 분명하게 알지 못했기 때문이다.

그러나 그 소녀에게 달려들어 목을 껴안고 싶은 그런 충동은 결코 아니었다.

그러한 행동은 아픈 소녀에게는 있을 수도 없는 일이었다.

움직이지도 못하고 침대에 누워서만 생활하는 그녀에게 그것은 고통만 안겨 줄 것이 뻔했기 때문이다.

내가 할 수 있는 일이 하나 있긴 있었다.

그것은 그 소녀가 고통에서 벗어날 수 있도록 모든 정성을 다하고, 온 마음을 다하여 하느님께 기도를 올리는 일이었다.

내가 할 수 있는 일은 그것뿐이었다.

현실적으로 그녀를 도울 수 있는 방법을 알지도 못했다.

알았다 해도 나는 그 방법을 사용할 만한 어른이 아니었기 때문이다.

어느 따스한 봄날이었다.

그 날도 소녀는 다른 날처럼 우리들이 놀고 있는 방으로 침대째 운반되어 왔다.

그런데 소녀의 안색은 다른 날보다도 더욱 창백해 보였다.

그러나 그 맑은 두 눈만큼은 어느 때보다도 한층 더 깊었으며, 아름다움으로 빛나고 있었다.

방 안으로 들어온 그녀가 몸을 일으켜 세워 앉았다.

그러더니 우리들을 자기 곁으로 오라며 다음과 같이 말했다.

"오늘이 내 생일이야. 아침에 일찍 성당에서 병자 성사를 받고 왔어. 그래서 이젠 언제라도……."

그녀는 미소를 띠면서 자기의 아버지를 바라보며 말을 이어갔다.

"언제라도 하느님께 갈 수가 있어. 하느님께서 나를 부르시면 말이야……. 물론 가능하다면 나도 너희들과 같이 오래도록 이 성에 머물고 싶어. 하지만 만약에 내가 너희들 곁을 완전하게 떠나 버려도 너희들이 나를 아주 잊지는 않았으면 좋겠어. 그래서 말인데, 너희들에게 선물을 주고 싶어. 이건 반지인데 너희들에게 하나씩 나누어 줄 거야. 이 반지를 집게손가락에 끼어 주었으면 해.

그리고 너희들이 나이를 먹고 점점 자라게 되어 그 반지가 집게손가락에 맞지 않으면 그 반지를 차례차례 다음 손가락으로 옮겨 껴 줘.

맨 마지막에 있는 새끼손가락에 꼭 맞게 될 때까지 말이야.

어쨌든 너희들이 이 반지를 잃어버리지 말고 평생 껴 줘."

말을 마친 그 소녀는 자기가 끼고 있던 다섯 개의 반지를 하나씩 하나씩 뽑았다.

소녀의 표정은 몹시 서글퍼 보였으나 다정스럽게 느껴졌다.

나는 그 모습을 보자 곧 눈물이 쏟아져 나올 것만 같았다.

울지 않으려고 나는 두 눈을 꼭 감았다.

소녀는 첫 번째 반지를 제일 큰 남자 동생에게 끼어 주고 그에게 키스했다.

두 번째 반지와 세 번째 반지는 두 공녀들에게 껴 주었다.

네 번째 반지는 막내 공자에게 끼어 주었다.

소녀의 손가락에는 마지막 반지 하나가 남아 있었다.

하지만 다시 침대 위해 누운 소녀는 몹시 피곤해 보였다.

그 때 소녀의 시선이 나와 마주쳤다.

나는 다른 공자와 공녀들처럼 그 마지막 반지를 받고 싶었다.

그래서 나도 그 소녀와의 약속을 지키며, 새끼손가락으로 그 반지가 옮겨질 때까지 평생 끼고 싶었다.

어린아이의 눈빛에서는 숨기려 해도 숨길 수 없는 솔직함이 묻어 나오게 마련이다.

소녀는 이내 나의 속마음을 알아차린 듯했다.

사실 나는 마지막 남은 그 반지를 갖고 싶다는 생각을 해서는 안 되었다. 정말 그랬다. 나는 그 소녀에게 있어, 내가 '남'이라는 것, 그리고 나 자신은 그 소녀의 가족이나 그녀에게 속한 사람이 아니라는 것을 알고 있었다.

그런 사실을 분명히 잘 알고 있었지만, 나는 왠지 가슴이 쓰라렸다.

그런 기분으로 그 소녀의 행동을 지켜보는 나의 핏줄은 금방 밖으로 터져 나갈 것 같았다.

신경 줄은 곤두서 하나하나 끊겨 나가는 기분이 들었다.

나는 그러한 고통을 감추기 위해 어느 쪽으로 시선을 돌려야 할지 몰라 눈빛을 이리저리 굴리며 당황하고 있었다.

침대에 누워 있는 소녀가 다시 힘들게 몸을 일으켜 세우더니 내 이마 위해 손을 얹었다.

그러고는 내 눈을 오랫동안 응시했다.

나는 내 마음속의 모든 것을 그 소녀에게 들켜 버린 것 같아 얼굴이 화끈 달아올랐다.

하지만 행복했다.

소녀는 마지막 하나 남은 반지를 그녀의 손가락에서 조심스럽게 빼내 나에게 주면서 천천히 말했다.

"이 반지는 내가 너희들과 영원한 이별을 할 때까지 지니고 있으려고 했던 것이지만, 너에게 줄게. 내가 이 세상을 떠난 다음에 이 반지를 보며 나를 생각해 주겠니?

여기 이 반지에 쓰여진 것 좀 읽어 봐. '하느님의 뜻에 따라서'라고 쓰여 있지?

너는 활기차면서도 부드러운 마음씨를 함께 갖고 있으니까, 훌륭하게 생활해 나갈 수 있을 거야. 그렇지?"

그 소녀는 나에게 자기 동생들에게 한 것과 똑같이 진정 마음에서 우러나오는 키스를 해 주며 반지를 내 손가락에 끼어 주었다.

나는 내 마음속에 어떠한 변화가 일어났는지 몰랐다.

그 때 이미 나는 소년이 되어 있었다.

천사와도 같은 소녀의 아름다움이, 아직 나이 어린 나에게도 매력적으로 느껴졌던 것이다.

나는 소년으로서 할 수 있는 최대한의 사랑으로 그 소녀를 사랑했다.

소년의 순수한 사랑에는 어른의 사랑에서는 찾아보기 힘든 진실함과 때묻지 않은 영혼의 정갈함이 들어 있었다.

나는 그 소녀가 내게 반지를 끼어 주던 그 순간까지도, 그 소녀가 남이고, 그렇기 때문에 그 소녀에게 사랑한다고 고백해서는 안 되는 사람이라고만 생각하고 있었다.

그 소녀가 내게 말한 조용하고 진지한 말 따위는 내 귀에 들려 오지 않았다.

다만 그 소녀와 나의 마음이 아주 가까워졌다는 것, 가깝게 느껴진다는 것, 더 이상 가까워질 수 없을 만큼 밀착되었다는 것을 느꼈다.

아까까지의 섭섭한 마음은 어디론가 모두 사라져 버렸다.

전혀 고독하지 않았고, 낯설지도 않았으며, 또한 외롭지도 않았다.

나는 바로 소녀 곁에 있으며, 그 소녀와 함께였다.

그 소녀의 속에 내가 있다는 것을 느꼈다.

나는 그 소녀가 마지막 남은 반지를 나에게 주었다는 것이 그 소녀에게는 희생이라는 생각이 들었다.

그 반지를 내게 주지 않았더라면, 하늘나라까지 가져가고 싶었을지도 모른다는 생각이 들었다.

그러자 내 가슴속으로부터 하나의 이상한 감정이 치솟았다.

그것은 너무나 갑작스러웠고 조용하게 가라앉힐 감정이 아니었다.

그것이 내 안의 다른 감정을 모두 눌러 버렸다.

나는 마침내 머뭇거리며 말했다.

"이 반지를 나한테 주고 싶어도 그냥 그대로 갖고 있어. 이 반지는 네 것이잖아."

소녀는 놀란 눈으로 나를 뚫어져라 바라보았다.

그러고는 잠시 생각에 잠기는 듯했다.

조금 있다가 그녀는 반지를 다시 받아 들고는 자기 손가락에 끼었다.

그리고 다시 한 번 내 이마에 키스를 하고는 작은 목소리로 말했다.

"너는 지금 네가 무슨 말을 하고 있는지 그 의미를 잘 모르고 있어. 하지만 나중에는 그 모든 것을 알게 되겠지. 그렇게 되면 너 자신도 행복해질 것이고, 다른 사람들도 행복하게 해 줄 수 있어."

네 번째 추억

어떠한 사람이든 간에 어느 시점에서 자신이 어디로 가는지 알 수 없을 때가 있다.

포플러나무가 서 있는 먼지투성이의 단조로운 길을 무턱대고 앞으로 걸어갈 때도 있다.

변화가 많은 길을 따라가면서 그 길이 어디로 연결될지 전혀 모르면서도 두 길 중에 하나를 선택해야 하는 때도 있다.

자신이 지금 어디로 가고 있는지 전혀 모르면서도 계속 걸어가야 할 때가 있는 것이다.

그저 자기가 아무 목표도 없이 앞을 향해 걸었다는 것과 나이를 먹었다는 것만을 느끼면서 고독하게 앞으로 걸어가는 것이다.

그리고 그런 고독을 알아차리는 슬픔밖에는 아무것도 남은 게 없다고 느끼는 순간이 다가오는 법이다.

생명의 강물처럼 매일매일 변함 없이 그 길을 흘러가고 있는 이상 그것은 언제나 똑같은 강이다.

단지 변하는 것이 있다면 양쪽 강변에 펼쳐진 경치일 것이다.

그러나 이러한 단조로운 길만을 걸어가며 슬픔에 빠지고, 어디로 가야할지 알 수 없는 때만 있는 것은 아니다.

생명의 폭포수와도 같은 결정적인 순간이 우리의 인생에도 닥쳐오게 마련이다.

그런 것은 언제까지나 우리의 기억 속에 남아서 떨어져 나가는 법이 없다.

잊혀지지도 않고 잊을 수도 없는 순간을 만나면서 사는 것이 우리의 인생이다.

설령 폭포수로부터 떨어져 조용하고 평화로운 바다 한가운데로 흘러들어간다고 하자.

그래도 폭포수가 떨어지던 요란한 소리는 여전히 남아 있다.

그래서 때로는 우리를 살아나가게 하는, 그리고 앞으로 나아가게 하는 생명력이 거기에서 비롯되는 것이라고 생각하게 만드는 것이다.

학창 시절은 이제 지나가 버렸다.

대학 생활 초기의 활기차고 찬란했던 시기도 어느덧 끝이 났다.

수많았던 인생의 여러 가지 아름다운 꿈들도 이 시절과 함께 끝났다.

그 때의 감정과 함께 사라져 버렸다.

그러나 단 한 가지, 아직도 남아 있는 것이 있다.

그것은 바로 '하느님과 인간에 대한 믿음'이다.

인생이란 우리가 어린 시절에 상상했던 것과는 그 모습이 너무나도 다른 것이다.

그래서 아무리 다르다고 하더라도 실망하지 않을 수 있다.

하느님과 인간에 대한 믿음으로 시작된 꿈들은 아직도 여전히 영원히 가슴속에 남아 있기 때문이다.

그것은 덧없이 사라지는 꿈들과 감정을 대신하여 얻은 것이다.

그것은 우리가 보다 높은 뜻을 갖게 되었다는 말이다.

인생은 우리가 알 수 없는 것들과 고통스러운 것으로 가득 찬 것일지도 모른다.

그렇다면 분명히 알 수 있는 것은 무엇이며, 고통스럽지 않은 것은 무엇인가?

인생은 그 자체로서 이 지상에 존재하는 신의 모습을 보여주는 것이다.

이쪽 세계를 만들어낸 신, 그 반대편의 세계를 만들어낸 신으로 나타나는 것이다.

그것이 신의 존재를 증명할 수 있는 것이다.

"신의 뜻이 아니고서는 아주 작은 일도 너에게 일어나지 않는다."는 한마디는 내가 지금까지 살아오면서 얻은 나의 인생관이다.

나는 여름 방학 동안에 자그마한 고향의 도시로 돌아왔다.

익숙해져 있는 것들과 다시 만난다는 것은 얼마나 환희에 찬 일이고 얼마나 기쁜 일인가.

다시 만나는 그것이 사람이든 물건이든 말이다.

다시 누군가를 만난다는 것, 다시 예전의 무엇인가를 찾는다는 것, 다시 지나간 것들을 그리워한다는 것은 참으로 기분 좋은 일이다.

그러한 것들은 어떠한 기쁨보다도 어떠한 유희보다도 즐겁고도 기분 좋은 일이다.

반면, 어떤 것이든 처음으로 보는 새로운 것이나 처음 듣는 것 역시 기쁜 일이다.

이름만 알고 있던 새로운 음식을 맛보는 것 또한 아름답고 신선하며 대단히 기쁜 일이다.

하지만 이러한 모든 새로운 것들은 너무나 신기하고 놀랍다.

그래서 그것을 경험하는 사람의 마음을 혼란스럽게 만들기 쉽다.

예전에 듣던 음악을 오랜만에 다시 들어 보라.

그 음이나 가사를 모두 잊어버렸을 것이라 생각하지만 실은 전혀 그렇지 않다.

모두 당신의 가슴속에, 심장 속에 고스란히 남아 있을 것이다.

음악을 듣다 보면 마치 옛 친구를 만나는 것처럼 반갑게 느껴질 것이다.

드레스덴의 산시스토 성모상(라파엘의 유명한 석고상. 이탈리아 피아첸차 산시스토 교회에서 옮겨져 드레스덴의 미술관에 진열되어 있다) 앞에서 우리들의 마음에 진한 감동을 불러일으켰던 어린 예수의 무한한 눈길을 다시금 되살려 보게 될 것이다.

또한 우리의 마음을 환희로 가득 차게 해 주는 것인지, 아니면 해묵은 옛 추억을 즐기고 있는 것인지 분간할 수 있을 것이다.

고향을 떠난 지 여러 해가 지난 후의 일이다.

다시 한 번 고향 땅에 발을 들여놓게 되면, 누구든 자기도 모르는 사이에 마음이 들떠 버린다.

마음은 이미 추억의 바닷속을 헤엄치게 된다.

당신의 추억들은 파도처럼 과거의 해변을 따라 꿈꾸는 사람의 마음을 둥실둥실 띄워 실어 간다.

시계탑의 종이 울리면 마치 학교에 지각할 것만 같은 불안한 마음을 갖게 될 것이다.

그것이 착각이라는 것을, 한낮 옛 추억 속의 종소리라는 것을 알게 되더라도 우리는 거기에서 기쁨을 맛보게 된다.

예전에는 그렇게도 무서워서 벌벌 떨며 멀리 피해 다녔던 바로 그 사나운 개가 큰 거리를 가로질러 뛰어가는 모습을 보기도 한다.

아직도 여전히 같은 자리에서 사과를 파는 아주머니도 보게 된다.

군침을 돌게 했던 사과 위에는 지금도 여전히 많은 먼지가 덮여 있지만, 그 가게의 사과는 이 세상 어느 사과보다도 맛있는 사과라는 생각에는 변함이 없었다.

건너편에 있던 낡은 집은 어느 새엔가 헐리고 그 자리에는 새 집이 들어서 있다.

그 집은 원래 우리를 가르치셨던 늙은 음악 선생님의 집이었다.

그러나 지금 그 분은 돌아가시고 이 세상에 안 계시다.

어느 여름 날 저녁이었다.

그 집에서 음악이 흘러나왔다. 하루 일과를 마친 선생님이 창가에 홀로 서서 연주를 하고 있었다.

오로지 선생님 자신만을 위한 연주라는 생각이 드는 그 연주 소리를 우리는 살며시 엿들었다.

그것도 하나의 추억이 되었다.

선생님의 연주 소리는 강렬하고 힘찼다.

마치 증기 기관이 하룻동안 쌓아 두었던 불필요한 모든 증기를 일시에 뿜어내는 것처럼 들렸다.

그리고 그 곳에는 작은 나무 그늘 길이 있었다. 그 당시에는 지금 바라보는 것보다 훨씬 큰 것처럼 느껴졌다.

어느 날 저녁, 나는 선생님 집에서 집으로 돌아오는 길에 한 아름다운 소녀를 만난 적이 있었다.

그 소녀는 이웃에 살고 있었다.

사실 나는 그 때, 그 소녀를 제대로 바라보지도 못했다.

말을 건다는 건 상상조차 할 수 없던 때였다.

당시 내 또래 남학생들은 학교에서 가끔 그 소녀를 화제에 올렸다.

'예쁜 계집애' 라고 불렀던 기억이 난다.

나는 저 멀리 반대편 길에서라도 그 소녀가 걸어오고 있는 것을 보는 것만으로도 가슴이 두근거렸다.

그러니 그 소녀 곁으로 가 보려는 생각조차 할 수 없었던 것은 당연한 일이었다.

그런데 어느 날 저녁이었다.

공동 묘지로 통하고 있는 작은 빠꼬라 밑에서 그 소녀와 우연히 만난 것이다.

우리 둘은 서로 같이 한 번도 대화를 나누어 본 적이 없었다.

어찌된 영문인지 그 날 그 소녀는 내 손을 잡고 같이 집으로 돌아가자고 했다. 나는 그 소녀와 같이 걸어가는 동안에 단 한 마디의 말도 하지 못했던 것 같다.

그 소녀도 나처럼 아무 말 없이 걷기만 했다.

하지만 나는 그 소녀와 이렇게 함께 걸어가고 있다는 것만으로도 너무나 행복해 가슴이 벅차 올랐다.

지금도 그 때의 일을 떠올리면, 그와 같은 때가 다시 한 번 온다면 얼마나 좋을까 하는 생각을 해 본다.

또한 그 아름다웠던 소녀와 함께 또다시 그렇게 아무 말 없이 걸으면서 집으로 돌아와 봤으면 하고 바라는 마음이 들기도 한다.

이렇게 해서 추억은 추억을 낳고, 점점 더 마음속을 파고들어 어느 순간 옛 생각에 푹 빠지게 한다.

그리하여 지금 내가 숨을 쉬고 있다는 것조차 잊을 때가 있다.

그 때가 되어서야 마침내 긴 한숨이 새어 나온다.

내가 너무 옛 추억에 잠겨 버렸다는 것을 깨닫는다.

그러면 추억의 세계는 나에게서 멀리 달아나 버리고 만다.

붙잡으려고 좇아갈 새도 없이 그것은 언제 그랬냐는 듯이 사라져 버린다.

마치 온 밤을 헤매고 다니던 유령이 새벽닭의 울음소리를 듣고는 그 울음소리와 함께 사라져 버리는 것과 같이 말이다.

그리고 내가 어린 시절 늘 놀러 갔었던 성을 향해 걷는다.

그 공작의 성을 지날 때의 내 기분은 어떠했겠는가?

보리수나무가 우거진 그 근처에 도착했을 때, 나의 심정은 이루 말할 수 없이 떨렸으며 또한 답답했다.

여전히 말을 탄 보초들이 예전처럼 서 있었다.

안으로 들어가는 그 높다란 돌계단을 쳐다보았을 때, 내 가슴에 쌓여 있는 추억 하나하나가 어떤 모습으로 나타나게 되었겠는가?

많은 것이 변해 있었다.

벌써 여러 해 동안 나는 그 곳에 가 보지 못했다.

공작 부인은 이미 죽은 지 오래다.

그리고 공작 또한 공직에서 물러나 지금은 이탈리아에 가 있다.

이제는 나와 함께 놀았던 공녀가 그 성에서 살고 있었다.

나와 함께 놀았던 그 어릴 적 공녀는 지금 깔끔하고 젊은 귀족 청년들과 혈기 왕성한 장교들에 둘러싸여 있다.

그녀는 그들과 어울리는 것을 좋아했다.

어린 시절 친구였던 내가 오랜만에 나타나자 분위기는 자연 서먹서먹해졌다.

그것은 어쩌면 당연한 일인지도 모르겠다.

그뿐 아니라 새 영주와 나와의 우정이 한층 더 흔들리게 된 또 다른 사정이 있었다.

나는 독일 국민 생활의 문제점과 독일의 여러 정부가 얼마나 정치를 그릇되게 하는가를 알고 있는 젊은이가 되어 있었던 것이다.

그리하여 다른 여느 젊은이처럼 자유당에서 내세우는 자유에 관한 판에 박힌 말들을 입에 달고 다녔던 것이다.

그것은 마치 엄숙한 목사의 가정에서 앞뒤 분간 없이 천박하게 행동하는 것과 같은 인상을 심어 주게 된 거나 마찬가지였다.

여러 해 동안 그 성의 계단을 올라가 보지 않은 결과인지도 모른다.

그 성에는 내가 매일같이 그 이름을 부르던 과거의 사람이 아직 살고 있다.

그녀는 내 머릿속에서 사라져 본 적이 없는 사람이었다.

나는 이미 오래 전부터 그녀와는 결코 이 세상에서 다시 만날 수 없으리라 생각하고 있었다.

그녀는 내 마음속에 이 세상 사람들과는 다른 하나의 특이한 모습으로 새겨져 있었다.

뭐랄까, 그녀가 바로 나라고 하면 이해가 될지도 모르겠다. 그녀는 이 현실 세계에는 존재하지 않지만 나의 또 다른 모습이었다.

나는 단 하나의 성격이나 단 하나의 생각만으로 사는 사람은 아니다.

내 속에 들어 있는 여러 가지 성격들과 생각들 중 여러 가지가 그녀의 모습과 생각과 닮아 있었다.

나는 무슨 일이건 간에 나 혼자 고민하지 않았다.

그녀와 더불어 그 이야기를 진지하게 나누곤 했다.

존재하지 않는 그림자와 말이다.

아니, 진짜 모습은 사라지고, 남아 있는 그 그림자와 이야기를 나누었던 것이다.

어떻게 해서 그녀가 나에게 그런 존재가 되었는지는 나 자신도 분명히 알 수 없다.

알 수 있는 것은 그녀가 나의 또 다른 나라는 사실이었다.

그도 그럴 것이, 나는 그녀에 대해 아는 것이 거의 없었기 때문이다.

그것은 아마 사람들이 종종 하늘에 떠 있는 구름을 다른 어떠한 것으로 바꾸어 보는 것과 같을지도 모른다.

나는 상상 속에서 소년기에 바라보았던 하늘에 이렇게 선명하지 못한 모습의 환상을 만들어낸 것이 아닌가 한다.

그것이 지금의 현실 속에서 완전한 모습을 갖추고 나타나 내 머릿속 한 켠에 그 모습을 드러낸 것이라는 생각이 든다.

나도 모르는 사이에 내 모든 생각은 그녀와의 대화 형식으로 머릿속에 떠올랐다.

무엇이건 간에 내 자신의 좋은 면이나 내가 추구하는 것들은 그녀에게 속한 것들이었다.

그리고 내가 신앙처럼 떠받드는 모든 것들, 보다 나은 나의 모습 등등 이런 모든 것들 또한 그녀에게 속한 것들이었다.

환상 속에서 이런 모든 것들에 관해 그녀와 대화를 나누었다.

그것은 모두 그녀에게 속한 것들이었다.

그것은 내가 그녀에게 준 것이고, 내 천사인 그녀의 입을 통해 입 밖으로 나온 것이었다.

내가 부모님이 살고 있는 집으로 돌아온 지 며칠이 지나지 않은 어느 날이었다.

나는 아침 일찍 한 통의 편지를 받았는데, 그것은 바로 다름 아닌 공작의 딸 마리아 공녀로부터 온 영어로 된 편지였다.

나의 옛 친구에게

당신이 당분간 이 곳에 머무르게 되었다는 소식을 들었습니다.

생각해 보니 벌써 당신을 본 지가 여러 해 지났군요.

괜찮으시다면 옛 친구로서 한번 만나 보고 싶습니다.

오늘 오후에 '스위스 오두막집'에서 기다리고 있겠습니다.

그럼 안녕히……

마리아

나는 한시도 망설이지 않고 영어로 답장을 썼다.

오늘 오후에 그 곳으로 꼭 가겠다는 내용이었다.

'스위스 오두막집'이란 그 성안에 있는 건물 중의 하나로, 한쪽 모퉁이에 있는 것이다.

그 곳은 정원을 향하고 있기 때문에 성의 앞뜰을 지나지 않고도 얼마든지 갈 수 있는 장소였다.

오후가 되자 나는 그 성의 정원을 지나 그리로 갔다.

그 때가 저녁 다섯 시경이었다.

나는 내 감정을 드러내지 않고 품위 있는 격식과 예의를 갖추어 그녀를 대하기로 마음먹었다.

나는 내 마음속에 존재하는 천사를 지워 버렸다.

마리아 공녀가 내 마음속의 천사와는 아무 상관이 없는 사람이라며 억지로 태연한 척했다.

그러나 나는 마음의 안정을 전혀 찾지 못했다.

그런 나에게 천사도 아무런 용기를 주지 못했다.

결국 나는 내 스스로 용기를 가지고 '인생은 가면 무도회와 같은 거야.'라고 혼자 중얼거리며 반쯤 열려 있는 문을 노크했다.

방 안에는 내가 모르는 한 여자가 혼자 앉아 있었다.

그녀가 나에게 영어로 말했다.

"마리아 공녀께서 곧 나오실 겁니다. 잠시만 기다리세요."

그러고서 그 여자는 방을 나가 버렸다.

나는 그 방 안에 잠시 동안 혼자 있을 수 있게 되었다.

공녀가 방으로 들어오기 전까지 주위를 둘러보고 마음의 여유를 찾을 시간을 얻었다.

사방의 벽은 떡갈나무로 되어 있었다.

벽면에는 잘 짜인 연이어진 네모 무늬의 창살이 있었고, 그 창살을 넓은 잎사귀의 담쟁이덩굴이 뒤덮고 있었다.

방 안에 있는 책상과 의자 역시 모두 떡갈나무로 만든 것이었으며, 아름다운 조각이 새겨져 있었다.

바닥엔 쪽마루가 깔려 있었다.

그 방 안에는 낯설지 않은, 예전부터 눈에 익었던 물건들이 제법 아직도 남아 있어 옛일을 생각나게 해 주었다.

그것은 나에게 독특한 감정을 불러일으켰다.

그 옛날 우리가 놀던 방에서 보아 왔던 장난감과 놀이 기구, 책말고도 새로운 것들이 몇 개 더 있었다.

그랜드 피아노 위에 걸려 있는 베토벤, 헨델, 멘델스존의 초상화는 대학 시절 내 방에 걸려 있던 초상화와 같은 것들이었다.

방 한구석에 세워진 밀로의 비너스 상은 내가 고대의 조각상 중에 가상 아름답다고 생각해 왔넌 것이었나.

그리고 또한 탁자 위에는 단테와 세익스피어의 책들, 요하네스 타울러의 설교집, 독일 신학이 놓여 있었다.

리케르트의 시집과 테니슨과 번즈의 시집들도 놓여 있었다.

칼라일의 과거와 현재 등도 모두 내 서재에 있는 책들이었으며, 불과 며칠 전까지도 내가 즐겨 읽던 것들이었다.

나는 다시 상념에 사로잡히기 시작했다.

그러나 다시 마음을 가다듬고 상념들을 떨쳐 버렸다.

너무 옛날로 돌아가 버려 공녀가 들어서는 모습을 놓치지나 않을까 걱정이 되었기 때문이다.

상념을 걷어내기 위해, 죽은 공작 부인의 초상화 앞으로 한 걸음쯤 다가섰을 때 방문이 열렸다.

낯이 익은 두 명의 남자가 마리아 공녀를 침대에 실은 채 방으로 운반해 왔다.

오, 어쩌면 그렇게도 고귀한 모습일까!

그녀는 아무런 말이 없었다.

얼굴은 잔잔한 호수와도 같이 조용했다.

잠시 후 두 남자들이 방을 나가자, 그 때서야 비로소 그녀는 나에게로 시선을 돌렸다.

그 옛날과 다를 바 없는 신비롭고 깊은 눈이었다.

그녀의 얼굴엔 생기가 돌았다.

그녀는 얼굴에 미소까지 띠며 말했다.

"우린 어릴 적부터 친구였어요. 그 동안 우리 둘은 아무것도 변하지 않은 것 같군요. 그래서 나는 당신에게 지(Sie, 당신의 존칭어)란 호칭을 쓸 수가 없어요. 그렇다고 아이들처럼 두(Du, 너)라고 할 수도 없어요. 그냥 영어로 이야기할게요. 괜찮으시죠?"

나는 이렇게 나를 기쁘게 맞아 주리라고는 꿈에도 생각지 못했다.

이것은 조금 전까지 생각했던, 그럴 것이라고 생각하면서 마음을 진정시켰던 '가면 무도회'가 아니었다.

지금 여기에 있는 것은, 한 영혼의 진실된 마음을 바라고 원하는 또 하나의 진실한 영혼이었다.

그녀와의 첫인사는, 설령 두 사람이 각각 어떤 가면을 썼다 해도 진실한 인사였다.

가면을 썼더라도 그 속에 숨어 반짝이는 두 눈이 진실을 보여주고 있었다.

우리는 그 두 눈을 통해 서로가 누구인지를 알아보는 그런 인사를 나누었다.

그녀는 나에게 손을 부드럽게 내밀었고 나는 그 손을 꼭 잡았다.

그리고 나는 말했다.

"천사와 말을 할 때 어떻게 지(Sie)라고 하겠습니까. 그럴 수는 없는 노릇이지요."

그러나 이 세상에 존재하는 형식이라는 것과 습관의 힘은 어쩌면 그렇게도 대단할까.

어느 누가 형식과 습관의 무서운 힘을 파괴할 수 있단 말인가.

누구보다도 친밀한 영혼으로 느껴졌던 그녀에게 자연스럽게 말을 건다는 것은 참으로 어색하고도 어려운 일이었다.

지위가 높은, 나와는 신분이 달랐던 그녀 앞에서 스스럼없이 편안하게 그녀를 대하기는 너무도 어려웠다.

우리 둘 사이의 대화는 잠시 중단되었다.

우리 둘은 무슨 말을 해야 할지 몰라 잠시 어색한 분위기에 놓였다.

그러나 때마침 머리를 스치는 이야기가 있어 그 이야기를 시작했다.

그제서야 겨우 우리 둘 사이의 침묵이 깨졌다.

"사람들은 어려서부터 줄곧 새장 속에 갇혀 사는 습관에 길들여져 있지요. 그래서 막상 자유로운 몸이 되어도 마음의 날개를 휘저어 날아갈 수가 없는 것 같습니다. 조금만 높이 날아올라도 혹시 날개가 여기저기 부딪히지나 않을까 많은 염려를 하지요. 혹시 날개가 떨어져 버리지나 않을까 걱정이 앞서기 때문이지요."

"그건 정말 그래요. 하지만 어쩔 수 없는 것 같아요. 사람들은 때때로 숲 속에서 날아다니는 새들과 같이 살아 보고 싶은 때가 있지요. 그래서 아무 예의도 차리지 않고 그저 새처럼 나뭇가지에 앉아 노래부르고 싶어하지요. 하지만 같은 새라 하더라도 참새도 있고 부엉이도 있는 거예요. 그런 새들은 서로가 모른 체하고 지내야 세상 살기가 편한 법이죠. 말하자면 인생이란 이런 비유를 사용할 수 있는 문학과도 같다는 생각이 들어요. 진실한 시인이 가장 아름다운 것과 가장 진실한 것을, 속박된 형식 속에서도 자유로이 표명할 수 있는 것과 같이 말이에요. 인간은 사회의 모든 속박에도 불구하고 자기의 생각과 감정을 자유로이 지켜 나갈 수 있어야 한다고 생각해요."

나는 그러한 그녀의 말을 듣고 플라톤의 시를 떠올렸다.

동양이나 서양이나
현재나 지금이나 우리에게
영원히 가치가 있는 것은
정해진 시의 형식으로 표현된
자유로운 인간 정신뿐이다.

그녀는 장난기 섞인 미소를 띠며 말했다.

"정말 그럴듯한 말이에요. 그렇지만 내겐 나만의 특권이 있어요. 말하자면 나의 병과 고독이지요. 나는 웬일인지 가끔 사랑에 빠진 젊은 청춘 남녀들이 가엾다는 생각이 들 때가 있어요. 왜냐하면, 그들은 사랑이라든지, 연애라든지 그런 것에만 매달려 있어, 진실된 우정을 나눌 수가 없기 때문이에요. 그것은 인생을 살아나가는 데 있어서, 그리고 한 사람의 인격으로 성장하는 데 있어서 대단히 손해 보는 일이라고 생각해요. 젊은 처녀들은 자신의 영혼 속에 무엇이 담겨져 있으며, 그 영혼이 무엇을 원하는지 모르거든요. 그리고 자신의 남자 친구에게 온 정신을 빼앗길 뿐이지요. 그가 어떠한 충고를 한다 하더라도 그것이 무엇인지 정확하게 깨닫지를 못하거든요. 젊은 남자들도 마찬가지예요. 자신이 만나는 여자가 하는 자기 마음속 영혼의 말들을 멀리서 귀기울여 들어 주고 지켜 주어야 하지요. 그렇게 된다면 그 남자는 머지않아 훌륭한 인격을 갖춘 기사다운 덕망을 쌓아올릴 거예요. 남자들은 그것을 모르고 있어요. 하긴 그러한 진실이 두 사람 사이에서 서로에게 영향을 미치면서 제대로 되긴 힘들 거예요. 왜냐하면, 보통의 남자와 여자들은 그들이 사귀면서 가지게 되는 그런 감정을 가져야 한다고 생각함으로써, 둘 사이에 소위 말하는 사랑의 감정이라는 것이 끼어들기 때문이죠. 가슴이 두근거리고 설레고, 희망의 물결이 파도처럼 밀려오지요. 아름다운 얼굴에 넋이 빠져 버린다든지, 달콤한 감상이라든지, 때로는 자기만을 생각하는 이기적인 생각을 하지요. 그런 것들이 그 두 사람에게 파고들지요. 그렇게 되면 인간적인 사랑의 참된 모습인 바다와 같은 고요함은 사라지고 높은 파도 속에서 정신을 차릴 수 없는 것이지요."

그녀는 그렇게 말하고는 갑자기 말을 멈추고 고통스런 표정을 지었다.

"오늘은 여기까지만 이야기해야 되겠군요. 더 이상은 제 몸이 무리인 것 같아요."

그러고는 덧붙여 말했다.

"의사가 말을 너무 많이 하지 말라고 충고했거든요. 멘델스존의 음악이나 들어야겠어요. 이중주 말이에요. 당신이 이미 여러 해 전에 내게 들려 주던 곡이잖아요. 그렇지요?"

나는 아무 말도 할 수 없었다.

왜냐하면, 그녀가 말을 끝마치고 그전처럼 두 손을 깍지끼었을 때 그녀의 새끼손가락에 끼어진 반지를 보았기 때문이다.

그 어린 시절 두근거리며 바라보던 그녀가 내게 그 반지를 끼어 주며 하던 말이 떠올랐다.

그것은 바로 그녀가 나에게 준 반지였고, 내가 다시 그녀에게 바쳤던 반지였다.

그 시절의 갖가지 생각들이 떠올라서 나는 도저히 말을 할 수가 없었던 것이다.

말보다는 피아노 곡을 연주하는 것이 그 시절의 상념을 지워나갈 수 있었다. 아니, 지워나가기 위해서는 아니다.

그녀를 위한 노래를 연주하고 싶었다.

그녀의 어린 시절과 나의 어린 시절을 함께 추억하면서.

그래서 나는 말없이 피아노 앞에 앉았다.

그리고 그녀가 원하는 곡을 연주하기 시작했다.

연주가 끝난 뒤 나는 그녀를 바라보며 말했다.

"이렇게 아무 말도 하지 않고 피아노 곡의 음으로만 서로 이야기를 할 수 있다면……."

그녀가 내 말에 대꾸했다.

"그건 가능한 일이에요. 나는 지금 모든 것을 이해한걸요. 하지만 오늘은 이 정도로 끝내야겠어요. 요즘 점점 더 쇠약해져 가고 있는 걸 느껴요. 난 당신과 좀더 가깝게 지내고 싶어요. 나처럼 병들고 고독한 사람은 늘 상대에게 관대함을 바라게 되지요. 내일 이 시간에 다시 만나고 싶은데……. 괜찮으시겠어요?"

나는 그녀의 손을 꼭 쥐고 키스를 하려고 했다.

그러나 그녀는 나의 손을 살그머니 빼내면서 말했다.

"이것으로 됐어요. 그럼 안녕히 가세요."

다섯 번째 추억

내가 그녀를 만나고 집으로 돌아오면서 무슨 생각을 하고 어떠한 감정으로 걸었는지 간단히 말하기란 쉽지 않다.

사람의 마음은 때론 글이나 말로써 표현할 수 없기 때문이다.

표현할 말이 있다고 해도 그 표현이 내 마음을 정확하게 말해 줄 수 없는 때가 있다.

누구나가 기쁨이 절정에 달했을 때나 기막힌 슬픔을 당했을 때는 '말

없이 생각'하는 것이 가장 그 시간을 잘 보내는 방법일 수 있다.

그렇다고 내가 어떤 기쁨에 대단히 흥분되어 있었다거나 땅바닥에 엎드려 울고 싶을 정도의 슬픔을 느낀 것은 아니다.

그냥 뭐라고 표현해야 할지 모를 놀라움을 느꼈을 뿐이다.

정리되지 않고, 종잡을 수도 없는 수많은 생각들이 머릿속에 떠올랐다.

하지만 그것을 꼭 꼬집어낼 수는 없었다.

내 마음속에서는 여러 가지 생각들이 마치 밤하늘을 가로지르며 지상으로 떨어져 내리는 별똥별처럼 아래로 아래로 흐르고 있었다.

땅에 떨어져 자기 자리를 잡기도 전에 소멸해 버려 아무런 의미도 없는 별똥별처럼 말이다.

잠을 자다가 종종 꿈속에서 자기 자신에게 '너는 지금 꿈을 꾸고 있

는 거야.' 라고 말할 때가 있다.

 나는 그 때 내 자신에게 이렇게 말했다.

 "너는 살아 있어. 그녀가 바로 그 생명이야."

 나는 다시 침착하게 냉정을 되찾고 차분하게 그리고 조용하게 이성적
으로 생각해 보았다.

 '그녀는 사랑스러운 여인이다. 그리고 보기 드문 심성의 소유자다.'

 나는 그녀를 동정하기 시작했다.

 '그토록 사랑스럽고 고운 마음을 가진 그녀가 침대에 누워 일생을 보
낼 수밖에 없다니…….'

 나는 그 사실 때문에 고통스러웠다.

 하지만 이내 나는 다른 생각으로 그 고통에서 벗어나 보려고 했다.
나는 내가 그 곳에 머무는 방학 동안에 그녀와 지내게 될 즐거운 저녁

시간을 머리에 그려 보았다. 그렇지만 곧 강한 부정의 마음이 일었다.

'아니다, 아니야, 이런 것이 아니야!'

나는 다시 한번 무엇인가를 마음속으로 정리하기 시작했다.

내가 진정으로 생각하는 것은 겉모습이나 껍데기가 아니었다.

그런 단순하고 속된 것은 분명 아니었다.

그녀는 내가 찾고 있던 모든 것을 가지고 있었다.

또한 내가 생각하는 모든 것을 생각하고 있었으며, 내가 바라고 있던 나의 전부였다.

바로 여기에 내가 바라는 하나의 인간이 태어난 것이다.

봄날의 아침과도 같이 맑고 순수한 영혼을 지닌 인간이 이제 내 곁에 존재하게 된 것이었다.

나는 그녀가 어떤 사람인지, 그리고 그녀의 마음속에 어떠한 것들이 꼭꼭 숨겨져 있는지 처음 보았을 때 알아 버리고 말았다.

오랜만에 만난 우리들은 서로를 마음속으로 반겼다.

그리고 인사를 나누었다.

우리의 마음은, 서로가 우리의 만남을 반기고 있다는 것을 알아차리고 있었다.

내 마음속에 있던 천사!

어린 시절의 그 천사는 이제 나에게 아무 대답도 하지 않는다.

나는 이제 천사에게 말을 걸지 않는다.

천사는 사라졌다.

그 천사를 다시 찾을 수 있는 곳은 이 세상에서 단 한 군데밖에 없다.

그 곳은 어린 시절을 보냈던 바로 그 곳이다.

그 시간과 그 장소에서만 그 천사를 찾을 수 있는 것이다.

즐거운 나날들이 시작되었다.

나는 매일같이 저녁나절이 되면 그녀를 찾아갔다.

해가 지는 어스름 저녁 그 집 앞으로 걸음을 옮기는 나는, 때론 온몸이 붕 뜨는 듯한 기분에 사로잡히기도 했다.

그리고 얼마 지나지 않아 우리 둘은, 옛 애인이 아닌 진짜 우정을 나눌 수 있는 진정한 옛 친구 사이라는 사실을 알았다.

그래서 우리 둘은 서로를 두(Du)라고 부를 수밖에 없다는 것도 깨달았다.

우정을 나누는 두 친구가 어찌 서로에게 존칭을 쓰겠는가.

존칭을 쓸 법도 하다.

그도 그럴 것이, 우리 두 사람은 실로 오랜만에 만났기 때문이다.

많은 시간이 흘러가 버렸지만, 우리 둘은 늘 함께 있어 왔던 것처럼 느껴졌다.

그녀 또한 그렇게 느끼고 있음을 나는 알 수 있었다.

그녀를 감동시키는 것은 금세 내 가슴속에 깊이 새겨졌다.

내가 생각하는 바를 말하면 그녀 역시 그렇게 생각하고 있었다고 말하며, 내 말에 항상 공감을 표현해 주었기 때문이다.

나는 예전에 당시의 최고 음악가였던 한 남자가 그의 누이와 함께 피아노 앞에 나란히 앉아 둘이서 즉흥적으로 곡을 연주하는 것을 들은 적이 있다.

즉흥곡을 연주함에도 그 두 사람의 호흡이 어찌나 그렇게도 잘 맞는지 놀라웠던 기억이 있다.

자유자재로 그들은 자신의 곡을 즉흥적으로 표현해 나가면서도 동시에 한 음도 조화를 이루지 않는 게 없었다.

그러한 일이 어떻게 가능한 건지 실로 경탄을 금할 수가 없었다.

두 사람의 정신과 마음이 그렇게 조화를 이룬다는 것을 상상해 본 적이 없었기 때문이다.

하지만 이제는 그것이 이해되었다.

그녀와 함께 대화를 나누고 그녀를 위해 피아노 곡을 연주하면서 나는 그 때의 기억을 떠올렸다.

동시에 나 자신도 지금까지 상상해 왔던 것처럼 그렇게 초라하고 공허한 인생이 아니라는 것을 알게 되었다.

그것은 다만 아직 땅속에 있어 보이지 않는 싹이나 꽃봉오리일 뿐이었다.

그 싹이 움트고 꽃봉오리가 열리기 위해서는 태양 빛을 비추어 주어야 한다는 것을 깨달은 것이다.

하지만 나와 그녀의 마음을 꿰뚫고 가 버린 지나간 봄은 그 얼마나 애달픈 것이었는지…….

우리는 5월의 장미가 그렇게 빨리 시들어 버린다는 사실은 전혀 생각하지 못했다.

하지만 붉은 장미 꽃잎은 저녁마다 어김없이 한 장씩 한 장씩 땅으로 떨어지고 있었다.

나는 그 사실을 잘 알지 못했다.

그러나 그녀는 그 사실을 이미 알고 있었으며, 그것으로부터 어떤 느낌을 받고 있었다.

그녀가 나에게 그 사실을 말해 주었다.

하지만 그녀는 그 사실을 그다지 고통스러워하는 것 같지 않았다. 무엇인가를 넘어선 듯, 매년 5월이면 꽃잎이 그렇게 스러진다는 사실을 침착하게 받아들이고 있었다.

붉은 장미 꽃잎은 한잎 한잎 떨어지고 있었다.

우리들의 대화는 날이 갈수록 점점 더 진지해졌고 진실해졌으며 또한 엄숙해졌다.

어느 날 저녁이었다.

집으로 돌아가기 위해 작별 인사를 하려고 했을 때였다.

그녀가 나에게 말했다.

"나는 내가 이렇게 오랫동안 살게 되리라고는 생각지 못했어요. 그 옛날 내가 병자 성사를 받고 돌아온 날, 내 손가락에 끼어진 반지를 당신에게 드렸을 때 난 이미 죽음을 생각했어요. 그래서 동생들과 당신에게 반지를 하나씩 하나씩 나누어주었지요. 그런데 그 이후에도 이렇게 여러 해 동안 살아 왔고, 여러 가지 즐겁고 아름다운 일들을 겪게 되었어요. 물론 그 사이 고통스러운 일이 아주 없었던 것은 아니지만, 그런 것들은 금방 잊으려 했어요. 어쨌든 그건 지나간 일이고, 이제는 헤어져야 할 시간이 얼마 남지 않았다고 생각하니 일 분 일 초가 너무나도 소중하게 느껴지는군요. 모쪼록 조심해서 집으로 돌아가세요. 그리고 내일 또 와 주세요. 늦지 말고 말예요, 예?"

언젠가 내가 그녀의 방에 들어갔을 때의 일이었다.

그녀는 어떤 이탈리아 인 화가와 이탈리아 어로 진지하게 어떤 그림에 대한 이야기를 나누고 있었다.

내가 보기에 그 이탈리아 인 화가는 화가라기보다는 오히려 화공에 가까운 사람같이 느껴졌다.

그럼에도 불구하고 그녀는 그에게 아주 다정하고 겸손하게 말하고 있었다.

더러는 존경심까지 표현하는 태도로 그와 진실되게 이야기를 나누고 있는 것이었다.

나는 그녀의 그러한 모습을 보면서 마음속으로 다시 한 번 놀랐다.

그렇게 신분이 높고 귀하면서도 사람을 대하는 태도에 겸양의 미덕을 갖추고 있다는 사실에 놀란 것이었다.

그 순간 나는 고귀한 그녀의 인품을 느꼈다. 또한 그녀의 마음씨가 아주 드높은 것에 감탄하지 않을 수 없었다.

그 화가가 방을 나가자 그녀가 나에게 말했다.

"당신에게 보여주고 싶은 그림이 있어요. 그 그림을 본다면 아마 당신은 마음에 꼭 들거예요. 그 그림의 원화는 파리의 박물관에 소장되어 있어요. 여기 있는 그림은 아까 그 화가가 그린 거예요. 나는 그 그림에 대한 글을 어디선가 읽은 적이 있어요. 너무나 마음에 들었기에 아까 그 이탈리아 인 화가에게 똑같이 그려 달라고 부탁한 거예요."

그녀는 그 화가가 그렸다는 그림을 나에게 보여주었다.

그리고 내가 뭐라고 반응을 보일지 그 반응을 듣고 싶어하는 얼굴로 나를 바라보았다.

그것은 옛날 독일식 옷을 입은 한 중년 남자의 초상화였다.

그림 속의 주인공은 마치 꿈을 꾸는 것 같은 표정이었고, 경건하면서도 아주 진실되어 보였다.

그래서 그가 한 때 이 세상에 살아 있었던 인물임을 알 수 있었다.

그림의 색조는 전체적으로 짙은 갈색을 띠고 있었고, 그림의 배경으로는 어떤 풍경이 그려져 있었다.

그 풍경은 지평선 너머에서 이제 막 서서히 밝아오는 새벽의 어스름 녘을 그린 배경으로 한 그림이었다.

나는 그 그림에서 이렇다 할 특징을 발견할 수 없었다.

그렇지만, 그래도 사람의 마음을 끄는 구석이 있는 그림이었다.

그 초상화는 내게 넉넉한 인상으로 다가왔고, 오랫동안 바라보아도 싫증이 날 것 같지 않은 그런 그림이라고 생각했다.

"초상화치고는 아주 빼어난 작품이군요. 실제 이것을 넘어설 만한 작품은 그리 많을 것 같지 않습니다. 아마 라파엘로라도 이것보다 더 잘 그리지는 못했을 겁니다."

나는 그 그림에 대해 이렇게 말해 주었다.

그녀는 내 평가에 대해 기쁜 마음으로 반응을 보였다.

"아무렴요. 내가 왜 이 그림을 그렇게 갖고 싶어했는지 말해 드릴까요? 내가 책에서 읽은 건데 거기에는 초상화를 그린 사람이 누구인지도 알 수 없대요. 그 초상화의 주인공 또한 누구인지도 모른다고 되어 있더군요.

다만, 이 사람이 중세의 학자쯤 될 거라는 추측만이 있을 뿐이래요. 바로 그런 그림이 내 화랑에는 필요했어요. 당신도 알잖아요. 독일 신학의 저자에게 적합하다고 생각한 겁니다. 그래서 한번 그리게 해 본 거예요. 당신이 다른 의견을 내놓지만 않는다면, 나는 이 그림을 여기 〈알비의 당원〉과 〈볼루무스의 국회〉 그림 사이에 걸어 놓으려고 해요. 그리고 '독일 신학의 저자'라고 이름 붙일 거예요. 어때요, 내 생각이?"

"좋은 생각이에요. 다만 프랑크푸르트 사람이라고 보기에는 너무 강인하고 남자다운 면이 좀 넘쳐흐르는 것 같군요."

"그럴지도 모르겠어요. 하지만 나처럼 병으로 죽어 가는 사람들은 독일 신학에서 많은 위안과 힘을 얻고 있지요. 아무튼 그 저자에게 많은 것을 도움 받고 있는 것은 사실이에요. 그래서 난 그 책에 아주 감사하고 있어요. 진정한 기독교의 의의에 대해 아주 쉽고 간단하게 설

명하고 있거든요. 그 책을 쓴 작가가 누구인지는 모르지만 어쨌든 그 교리는 내게 믿음을 주었어요. 그의 가르침에는 어떠한 강제성도 없었어요. 기독교를 자신의 종교로 하라거나, 기독교적인 교리에 충실하라거나 그런 내용은 없었어요. 그런데도 불구하고 내 마음을 온통 사로잡아 마치 신의 계시라는 것이 있다면, 그것이 무엇인지 깨달은 느낌을 받게 했어요. 많은 사람들이 참된 기독교 교리 속으로 들어가지 못하는 것은 교리를 먼저 배우기 때문이지요. 바로 우리들 자신의 마음속에 계시가 일어나기도 전에 기독교 교리를 배우고 그것을 계시 자체로 생각하고 있기 때문이에요. 그 때문에 나도 처음에는 상당히 불안했어요. 그렇다고 기독교의 진실성과 신성함을 의심했던 건 아니에요. 다만 내 의지가 아닌, 다른 사람에 의해서 주어진 신앙은 나에게 아무런 도움도 되지 않는다고 생각했던 거지요. 또 어렸을 적부터 무턱대고 받아들인 신앙은 내 것이 아니라는 느낌을 떨쳐버릴 수가 없었어요. 다른 사람이 내 대신 삶을 살아 줄 수도 없고, 또 대신 죽어 줄 수도 없잖아요? 그것과 마찬가지로 누구도 나를 대신해서 신앙을 가질 수는 없지요. 대신 믿어 줄 수는 없는 일 아니겠어요?"

"물론 그렇지요. 대신 믿어 준다는 건 있을 수도 없는 일이죠. 예수 그리스도의 가르침이 신도들이나, 초기 기독교 신도들의 마음을 사로잡았던 것과 마찬가지로 우리의 마음을 자연스럽게 그쪽으로 잡아 끌어야죠. 그것이 진정한 신앙이라고 생각합니다. 그런데 요즘은 왠지 아주 어렸을 적부터 교회의 엄숙한 교리가 우리를 내리누르는 것 같습니다. 그리고 소위 신앙이라는 이름 아래 절대 복종을 우리에게 강요하기 때문에 문제가 생기는 것이죠. 그러니 생각하는 힘과 진리를 추구하려는 마음을 가진 인간에게 의심과 의혹이 일어나는 건 당연한 것 아니겠어요? 다시 말해, 우리들이 신앙을 갖고자 하는 올바른 마음을 가지고 있어도 의심이라든지 불신이라든가 하는 괴물이 불쑥 튀어나오게 되는 것입니다. 우리들의 신앙심을 방해하는 겁니다. 또한 새로운 생명의 정신적인 발전을 방해하기도 하지요."

내가 이렇게 말하자 그녀는 다시 말을 이었다.

"최근에 읽은 어느 영국 책에는 이런 말이 쓰여 있더군요. '진리란 계시로서 나타나는 것이지, 결코 계시가 진리를 만드는 것은 아니다.'라고요. 계시가 진리를 말해 주는 것은 아니라는 것이지요. 그것은 내가 독일 신학을 읽고 나서 얻은 느낌을 그대로 표현해 주는 말이있어요. 나는 그 책을 읽고 절대적 진리에 대해 다시금 생각했어요. 그런 것이 있다면 거기에 기꺼이 복종해야 한다고 생각했어요. 그 때, 진리라는 것이 무엇인지 나에게 명백해졌고, 신앙이 어떤 것인지를 비로소 깨닫게 되었거든요. 아니, 오히려 나 자신이 나에게 명백해졌다고 할 수 있어요. 진리가 무엇인지를 깨닫게 되면서 더불어 내가 무엇인지 분명해지기 시작한 거지요. 그리고 처음으로 '믿는다는 것'이 무엇인지 분명히 알게 되었어요. 진리는 이제 내 것이 되었어요. 오랫동안 내 속에서 잠자고 있던 것들이 꿈속에서 깨어난 거지요. 그것이 한 줄기 빛처럼 내 마음속으로 비쳐 들어서 정신적인 눈을 뜨게 해 주었어요. 얼마 전부터 희미하게 예감하고 있던 그 무엇인가를 내 영혼 앞에 명백히 비춰 주었어요. 언젠가 나는 어떻게 해서 인간이 믿음이라는 것을 가질 수 있는지에 대해 생각해 본 적이 있어요. 그래서 여러 번 생각한 끝에 복음서를 읽게 되었지요. 복음서란 결코 어떤 한 사람에 의해 독단적으로 쓰여진 것이 아니라는 사실을 머릿속에 담아 두고 읽기로 한 거예요. 복음서란 성령의 힘에 의해 신비로운 방법으로 사도들의 마음에 들어오는 것이지요. 사도들은 그 성령의 힘에 이끌리어 복음서를 썼을 거예요. 사도들이 쓴 그것이 종교회의에 제출되고, 교회에 의해 가톨릭 신앙의 가장 권위 있는 부분이 되었다는 말이 있지요. 어려서부터 교과서 공부하듯 내 머릿속에 들어 있는 그런 생각들은 아예 쫓아내기로 했어요. 그렇게 하니까 비로소 기독교 신앙이 무엇이며 기독교적인 계시가 무엇인지 이해할 수 있게 되었어요."

나는 그녀의 말을 이어 이렇게 말했다.

"신학자라고 불리는 사람들이 아직도 모든 종교를 파멸시켜 버리지 않은 것만 해도 다행스러운 일이에요. 그들은 우리들에게 종교를 선물하는 것이 아니라, 오히려 우리들에게서 종교를 빼앗아 가거든요. 만약 경건한 신자들이 신학자들에게 '그쯤 하고 그만 물러나시오.' 라고 하지 않았다면 아마 그 신학자들은 결국 종교라는 것을 완전히 못 쓰게 망쳐 버리고 말았을 거예요. 이 세상의 어떠한 종교를 막론하고 그 일꾼들, 즉 목사라든가, 브라만교의 승려라든가, 불교의 스님이라든가, 바리새인의 율법학자라든가 하는 자들에 의해서 피해를 입고 파괴되지 않은 종교란 이 지구상에 하나도 없지요. 그들은 자신들의 지역 안에 살고 있는 신자들 대부분이 알아듣지도 못하는 설교나 늘어놓지요. 또 실천이 아니라 말만으로 논쟁을 일삼고 싸움질하기를 좋아하지요. 그리고 자기 스스로가 복음에 의하여 영감을 얻었다고 떠들지요. 만약 진짜 영감을 얻었다면, 그 영감으로 다른 사람들을 자연스럽게 감동시켜야 하는데도 불구하고 실제로는 그렇게 하지 못하고 있어요. 오히려 그 복음이 성령의 이끌림에 영감을 얻은 사도들에 의해 쓰여졌다는 것을 강조하지요. 그러니 그게 마땅히 진리일 수밖에 없다는 것을 증명하기에 급급해 다른 것은 아무것도 생각할 줄 모르는 사람들이죠. 하지만 이러한 행동은 그들 자신의 불신을 감추려는 궁여지책에 불과한 겁니다. 그 복음서의 저자들이 신비로운 방법으로 영감을 얻었다는 것은, 자기 자신들이 그러한 방법으로 영감을 받지 않고서 어떻게 그것의 진짜 내용을 알 수 있겠습니까? 그러다 보니 이번에는 그러한 영감의 능력을 초기 교회 사제들에게 떠넘깁니다. 종교 회의의 결의에서 추대된 사람들에게까지 그 범위를 확대시켜 그들에게도 영감이 있다고 주장하려 드는 것입니다. 하지만 이렇게 되면 또 새로운 문제가 일어나게 되죠. 만약 50명의 목사가 있는데 그들 중 26명은 영감을 얻었고, 2명은 영감을 얻지 못했다면 그것을 어떻게 구분하느냐 하는 겁니다. 그래서 마침내는 다음과 같은 주장을 펴게 되기에 이르렀죠.

교회 목사의 축복의 손이 그들의 머리에 얹힘으로써 그들은 영감과 신성함을 얻게 된다. 그 영감과 신성함이 마음속에서만 분명한 것이나 신에 대한 경건한 마음을 초월하게 만드는 것이라고 말예요. 그렇지만 이런 모든 과정에도 불구하고 결국 최초의 의심은 그대로 우리에게 남아 있습니다. 즉, A라는 사람이 성령의 감화와 감동을 받았는지 안 받았는지 B라는 사람이 그것을 어떻게 알 수 있겠습니까? 또 A라는 사람도 자기 스스로 영감을 받아 본 적이 없다면 어떻게 B라는 사람이 영감을 받았는지 알겠습니까? 실은 자기 자신이 영감을 받는 것보다도 남이 영감을 받았는지 어쨌는지를 판단하는 것은 더 어려운 일이죠."

"나는 그렇게까지는 생각지 못했어요."

그녀가 말했다. 그리고는 다음과 같이 덧붙였다.

"가끔 느끼고 있는 것인데요. 그건 사랑에 있어서도 마찬가지인 것 같아요. 어떤 사람이 자기를 사랑하고 있는지 아닌지를 알아내기란 모든 방법을 동원해도 정말 힘든 일이거든요. 자기 자신의 감정과 생각을 모두 솔직하게 있는 그대로 보여주는 사람은 별로 없잖아요. 그래서 나는 이렇게 생각했죠.

자기 스스로가 그 사랑의 감정을 확실히 알고 있는 사람이 아니고는 상대방에게서 사랑을 받고 있다는 것을 모르는 것이라고 말예요. 하지만 그러한 사람이라 하더라도, 자기 자신의 사랑을 믿을 수 있는 범위 내에서만 다른 사람의 사랑을 믿을 수 있는지도 모르겠어요. 받은 그만큼, 바로 그만큼만 사랑을 믿게 될 뿐이지요. 성령에 대한 영감의 능력도 사랑의 능력과 마찬가지라고 생각해요.

그러니까 결국 같은 것 아닐까요? 성령을 받은 사람들은 하늘에서 폭풍우를 내리며 몰아치는 천둥번개 소리와 같은 소리를 듣고 혀가 마구 갈라지는 것을 느끼게 된다고 합니다. 그러나 다른 사람들은 그 소리를 듣고 공연히 놀라 '술에 취했구먼' 하고 비웃죠. 아까도 내가 말했던 것처럼 나 자신이 진정한 신앙을 가지게 된 것은 독일 신학 덕분이었어요. 많은 사람들이 그 책의 문제점이라고 지적하는 것이 오히려 내게는 신앙에 대한 더 강한 확신을 주었지요. 그 책을 쓴 사람은 자기의 주장을 치밀하고 자세하게 논리적으로 증명하지도 않았어요. 마치 농부가 뿌려 놓은 씨앗 중에서 몇 개가 좋은 땅에 떨어져 천 배의 결실을 맺기를 기대하는 것과 같아요. 그 농부처럼, 그는 그저 자기의 의견을 넓은 땅에 커다란 기대 없이 뿌려 놓았을 뿐이에요. 이렇듯 그 신학의 진정한 가치는 자신이 믿는 학설을 억지로 증명하려 하지 않았다는 것에 있어요. 그것은 자신의 학설이 진리라는 완전한 믿음이 있었기에 가능했던 거예요. 증명한다거나 근거를 댄다거나 하는 그런 형식은 그에게 중요하지 않았어요."

"그렇습니다."

나는 그녀의 말을 가로막고 말했다.

그녀의 말을 가만히 듣고 있는 순간, 스피노자의 윤리학에서 펼쳐지는 놀라운 논리적 증명의 세계가 떠올랐기 때문이다.

"스피노자의 소심하고 믿지 않을까 봐 초조해하면서 논리적으로 증명하는 것을 보더라도 그 말은 맞아요. 이 날카롭고 예리한 철학자 역시 자기 자신의 학설을 마음속으로부터는 진실로 믿을 수 없었기에 그랬을 겁니다. 때문에 자기 논리가 얼마나 옳은 것인지를 증명하기 위해 힘썼지요. 더욱더 단단하게 붙잡아 매어 둘 필요성 때문에 설명하고 논증하는 것에 매달렸겠지요. 어쩐지 그런 생각이 드는군요.

그리고 솔직히 말해 나 역시 독일 신학이라는 책에서 많은 자극과 감동을 받은 건 사실이지만, 당신처럼 그렇게까지 극찬하고 싶지는 않습니다. 내가 보기에 그 책에는 따뜻한 인간미도 없고, 시를 떠오르게 하는 아름다운 무엇도 없어요. 또한 우리 인간이 발붙이고 사는 현실에 대한 존경심 같은 것도 없어 보였거든요. 무릇 14세기의 신비주의는 하나의 신학을 준비하는 준비 기간이라는 관점에서 볼 때 그 책의 가치가 크다는 건 인정합니다. 하지만 진정한 해결은 마르틴 루터의 경우에서 볼 수 있습니다. 신에게 돌아가고 신에 의해 깨끗해지면서 현실의 생활로 복귀할 때 비로소 발견되는 것 아닐까요? 인간은 누구나 한 번쯤 신에게 돌아갑니다. 살아가는 동안에 자신의 존재를 생각하고, 자신이 처음 이 세상을 만났을 때를 생각하고, 이 세상을 떠났을 때의 자신의 영원한 생명을 생각합니다. 그 때 우리는 신에게 돌아갑니다. 그 모든 것들은 모두 자기 힘으로는 어찌할 수 없는 초자연적인 것이지요. 어떤 알 수 없는 것에 뿌리를 내리고 있는 것이라는 걸 그런 생각을 하는 순간에는 알게 되지요. 그것이야말로 다름 아닌 신에게로 돌아가는 순간이며, 신에게의 복귀라고 생각합니다. 설령 신에게로 돌아가는 그 길이 이 지상에서는 이룰 수 없는, 결코 도달할 수 없는 먼 곳에 있다 하더라도 말입니다. 그곳까지 도착하기는 너무나도 어렵지만, 정신적으로는 두 번 다시 꺼지지 않는 신에 대한 향수를 남기는 것이죠. 그러나 인간은 신비주의자들이 말하는 것처럼 '조화의 세계'를 버릴 수는 없어요. 인간은 아무것도 아닌 상태에서, 다시 말해 신을 통해 신으로부터 창조되는 것이지요. 창조되는 것도 마찬가지이지만 인간 스스로는 다시 그 예전의 아무것도 아닌 상태로 돌아갈 수 없습니다. 자기 자신의 능력과 힘으로 그 아무것도 아니었던, 무 속으로 자기 자신을 되돌려 보낼 수는 없는 것입니다. 타울러가 흔히 말하는 자기 소멸이라는 것은 불교에서 말하는 열반이나 인간의 영혼이 소멸되는 입멸 그 이상의 것은 아닙니다. 그래서 타울러는 이렇게 말했습니다.

'만일 신에 대한 커다란 존경심과 사랑 때문에 무의 속으로 되돌아가기를 바라는 사람은 곧 신의 위엄에 눌려 가장 깊은 나락으로 추락하는 것과 같다.'

이와 같이 창조물, 신에 의해 만들어진 피조물이 사라져 가는 것은 조물주의 뜻이 아닙니다. 왜냐하면 인간을 만든 것이 바로 조물주이기 때문에, 조물주가 자기가 만든 창조물이 사라지기를 바라지 않죠. 아우구스티누스도 말했잖아요.

'신은 인간으로 변신할 수 있지만 인간은 결코 신이 될 수 없다.' 라고.

신비주의는 인간의 영혼을 단련시키는 시련의 불은 될 수 있습니다. 하지만 인간의 영혼을 가마솥의 끓는 물로 만들어 공중으로 증발하게 하는 그런 불이 되어서는 안 되는 것입니다. 자기 존재의 허무함과 공허함을 인식한 사람은 자기 자신이 진실한 신의 성질이 반영된 존재라는 사실을 깨달아야 합니다. 독일 신학 속에는 이런 말이 있더군요.

'신에게서 흘러나온 것은 실재가 아니다. 절대자 외에는 그것을 갖지 못하리니, 그것은 우연이며 빛이며 반영이니 이러한 것들도 참된 존재는 아니다. 그것은 태양이나 광채와 같이 빛을 발산하는 불꽃으로밖에 존재하지 않는 것이다.'

그러나 신에게서 흘러나온 것이 불꽃에 지나지 않는 것이라 하더라도 자기 자신 속에 신적인 존재를 갖고 있는 것입니다. 다시 말해서 빛을 발하지 않는 불길이나, 빛나지 않는 태양이나, 피조물이 없는 조물주는 아무런 의미가 없다는 뜻입니다. 이 문제에 대해서는 다음에 말하는 바가 진실을 밝혀 줄 수도 있죠.

'인간이나 그 밖의 모든 창조물들이, 헤아릴 수 없는 깊은 신의 뜻과 마음을 알고자 하는 것은, 아담과 악마가 저지른 일과 다를 바 없다.'

그러니 우리들은 우리들 자신이 신의 반영이며, 또한 그렇게 믿는 것으로 만족하지 않으면 안 됩니다. 우리들이 정말로 우리 자신을 신의 피조물, 신의 반영이라는 것을 믿게 될 때까지 불꽃을 꺼버리는 것은 죄입니다. 우리들 내부를 속속들이 비추어 주는 불꽃을 그 누군가가 하찮게 밟아 버리거나 꺼버리는 것은 죄악입니다. 불꽃은 우리 주위에 있는 모든 것들을 골고루 비추며 그것들을 따뜻하게 하기 위해 충분히 불타오르도록 해 주어야 하는 것이죠. 그렇게 함으로써 사람들은 자신의 뜨거운 혈관 속에 살아 있는 불꽃을 느끼게 됩니다. 또한 현실적인 삶을 용감하게 살아나갈 수 있도록 보다 높은 영감을 느끼게 되는 것입니다. 아무리 작은 의무라 할지라도 우리로 하여금 신을 생각하게 합니다.

그리함으로써 현실적이고 세속적인 것은 신성하고 신적인 것이 되고, 허무한 것은 영원한 것으로 바뀝니다. 결국 우리의 모든 생명은 신과 함께 살고 있는 것입니다. 신은 영원한 휴식이 아니라 영원한 생명입

니다. 앙겔루스 디레디우스는 '신에겐 의지가 없다'고 말했지만 그는
다음과 같은 진리를 알고 있었던 거죠."

우리는 기도드린다.
오, 신이시여, 당신의 뜻이 이루어지소서라고.
그러나 보라, 신에겐 의지가 없다.
그는 영원한 고요일 뿐이다.

그녀는 아무 말도 않은 채 내 말에 귀를 기울이고 있었다.

그러더니 한동안 내면에 잠겨 골똘히 무엇인가를 생각하더니, 이윽고
입을 열어 다음과 같이 말했다.

"당신의 신앙 속에는 건강함과 힘이 느껴져요. 하지만 이 세상에는
사는 것이 너무 고달파서 휴식을 취하거나 잠 속에 빠져들기를 원하
는 사람도 많아요. 그런 사람들은 이 세상이 너무나 고독하고 힘들어
서 되도록 빠른 시간 안에 영원한 신의 품에 안기기를 바랄지도 몰라
요. 그들이 원하는 대로 신의 품에 안기게 된다고 합시다. 그러할지라
도 아마 그들은 이 세상에 대해 아무런 미련도 없을 것이고 별로 아
쉬워하지도 않을 거예요. 그런 사람들은 신의 품에서 찾을 수 있는
영원한 안식을 누릴 생각에, 그 누구보다도 많은 시간을 신에 대한
또 영원한 신의 품에 대한 생각으로 보낼 수 있어요. 그들이 그렇게
할 수 있는 것은 이 세상의 그 무엇도 그들과 연결되어 있지 않기 때
문이에요. 그러니 평온한 안식 속에 잠기려는 소원 하나밖에는 남아
있는 게 없는 거죠. 그들이 바라는 것은 그 소원 하나일 거예요. 다른
어떤 소원도 그들의 마음을 동요시키지 않기 때문입니다."

안식만이 그 무엇과도 바꿀 수 없는 최고의 보배요,

만약에 신이 곧 안식이 아니라면,

내, 신 앞에서

이 두 눈 감아 버리리라.

그녀는 계속해서 말을 이었다.

"당신은 독일 신학의 학설에 대해 잘못 이해하고 있는 것 같아요. 그 작가는 일상 생활의 공허함에 대해 말하기는 했지만, 그것을 결코 없애야 한다고 말하는 사람은 아니에요. 여기 28절을 저에게 좀 읽어 주세요."

내가 그 책을 받아 들고 읽어 내려가는 동안 그녀는 조용히 두 눈을 감은 채 듣고 있었다.

"만약에 내부와 외부가 합쳐져 하나가 된다면, 그래서 그것이 현실이 된다면, 내면적인 사람은 곧 그 합일 속에 고요히 머물러 움직이지 않을 것이다. 신은 외면적인 사랑을 이쪽에서 저쪽으로, 이곳에서 저곳으로 움직이게 한다. 이것은 피할 수가 없는 것이며 이미 그렇게 정해진 것이다. 그리하여 외면적인 사실은 다음과 같이 말한다.

'나는 존재하고자 하지도 않거니와 존재하지 않고자 하지도 않노라. 살고자 하지도 않으며 죽고자 하지도 않노라. 그 무엇이건 간에 그것은 내가 원하는 바가 아니로다. 알고자 하지도 않으며 또한 몰라도 된다고 생각하지도 아니하노라.

오직 그러하여야 하노라. 그렇게 되어야 하는 것은 그것이 비록 누가 시켜서 그런 것이건 내 스스로가 그렇게 한 것이건 간에, 나는 그것을 즐거이 따를 것이며 그대로 행할 것이로다.'

이와 같이 외면적인 인간은 그 사물이 가진 깊은 내용을 묻지도 않고 또 스스로 그것이 무엇인지 알려고도 하지 않는다. 오직 영원의 의지에 순응하려 할 뿐이다. 내면적인 인간이 움직이지 않도록 정해지고, 외면적인 인간이 움직일 수밖에 없도록 정해진 것 자체가 진실로 정해진 것이다. 만약 내면적인 인간이 움직인다 하더라도 그것은 영원한 의지에 의하여 규정된 것이며 의무라 할 수 있다. 따라서 신이 스스로 인간이 되는 경우에도 이와 같은 것이다. 이러한 사실은 그리스도에게서 볼 수 있다. 이러한 합일이 신에 의해 생겨나고 이루어진다면, 그 곳엔 정신적 자민심도 없고 천박한 욕심도 있다. 거기에는 막무가내의 행동도 없고, 오직 끝없는 겸손과 성실과 정직과 평등과 진리와 평화와 스스로 만족하는 마음만 있으리라. 만약 이러한 덕이 갖추어지지 않는다면 진정한 합일은 불가능하다. 그도 그럴 것이, 모든 사물은 이러한 합일을 도울 수도 없거니와 마찬가지로 방해할 힘도 갖고 있지 않기 때문이다. 다만 인간의 의지만이 이것에 큰 해독을 끼칠 수 있으니 이것을 꼭 명심해야 한다."

"거기까지만 읽어 주세요."

하고 그녀가 말했다.

"그것만으로도 충분해요. 우리들은 이것으로 서로 이해할 수 있다고 생각해요. 독일 신학의 작가는 다른 대목에서도 뚜렷하게 말하고 있어요. 즉, 모든 인간은 죽음을 피하기 위해 발버둥을 친다고요. 또 아무리 신적인 인간이라 하더라도 자기 스스로는 아무것도 할 수 없으며, 다만 신의 뜻에 의해서 움직일 따름이라고요. 그래서 신에게 매혹된 사람은 아무 말도 하지 않고 자기 자신의 신앙 생활을 그 누구한테도 말하지 않죠. 마치 사랑의 비밀을 숨기듯 소중히 간직하고 있는 거죠. 비밀은 밖으로 나가면 더 이상 비밀의 매력도 없어지지요. 난 가끔 내 자신이 저 창밖에 서 있는 백양나무와도 같다는 생각이 들어요. 그 나무는 저녁이 되면 아주 고요히 서 있죠. 마치 죽은 것처럼, 잎새 하나 떨지 않고 장승처럼 서 있는 겁니다. 그렇게 조용히 있다가 아침 바람이 불어오면 잎이 살아나서 살랑살랑 흔들리기 시작하죠. 그러나 그 밑동과 가지만은 여전히 움직이지 않아요. 그것이 나무의 운명이라는 걸 난 잘 알고 있어요. 머지않아 가을이 오면 흔들리던 잎들은 색깔이 변하고 땅에 떨어져 시들어 버리고 말겠지요. 그러나 나무 줄기는 여전히 움직이지 않고 돌아오는 새 봄을 의젓하게 기다리고 있는 겁니다."

그녀는 그러한 자연을 바라보며 그렇게 생각하면서 자기 나름의 세계에 깊숙이 파묻혀 살고 있었나 보다.

그래서 나는 구태여 그녀를 방해하고 싶지는 않았다.

그녀의 생각을 고쳐준다거나, 그녀의 생각을 방해하고 싶지 않았다.

나 자신도 그러한 생각에서 가까스로 벗어난 상태였기 때문이다.

누군가가 무슨 말을 하거나 행동을 하게 되면 그것에 관해 이런저런 얘기를 내 마음대로 하던 상태에서 벗어나면서 난 조금씩 어른이 되어 갔던 것이다.

어쨌든 우리는 여전히 여러 가지 근심 걱정이 많았지만, 오히려 그녀 쪽이 변하지 않는 확신에 찬 길을 걸어가고 있는 것 같았다.

이렇듯 매일 저녁 우리에겐 새로운 이야기가 오갔다.

시간이 지날수록 헤아릴 수 없을 정도로 깊은 그녀의 마음속을 들여다보는 눈이 나에게 생겼다.

처음 보았을 때보다 분명하게, 처음 얘기를 나누었을 때보다 더 깊이 그녀의 정신 세계를 들여다볼 수 있었다.

그녀는 내게 아무런 비밀도 갖고 있지 않았다.

그녀는 비밀을 가질 만한 영혼의 소유자가 아니었다.

그녀의 입에서 나오는 이야기는 그녀가 평소에 생각했던 것과 느끼고 있었던 것이다.

그녀는 그것을 나와 대화를 나눌 때, 그대로 솔직히 표현하고 있었다.

가면을 쓰거나 거짓을 말한다고는 한번도 생각하지 않았다.

그녀가 말하는 것은 벌써 오래 전부터 그녀의 가슴속에 간직되어 오던 것들이었지, 그 자리에서 지어내는 이야기가 아니었다.

그녀가 하는 말들은 마치 어린아이가 자신의 치맛자락에 가득히 담아 온 꽃들을 아낌없이 잔디 위에 뿌려 놓는 것과 같았다.

꽃들을 꺾어 왔고 그 꽃들을 보아 줄 친구가 옆에 있으면, 그 꽃을 보아줄 친구를 위해 무심코 그 친구 앞에 쏟아놓듯, 그렇게 내뱉는 말들이었다.

나는 웬일인지 그녀처럼 내 속마음을 그렇게 순진하고 단순하게 다 열어 보일 수가 없었다.

그래서 나는 나의 솔직하지 않음 때문에 괴로웠다.

그녀가 내게 솔직한 것만큼만 솔직하고 싶다거나 하는 그런 생각은 조금도 아니었다.

나의 속마음을 감추고 있는 것이, 속마음을 감추고 살라고 가르치는 것이 바로 이 세상 아닌가.

우리가 요구하는 것이 바로 그런 것이 아닌가.

그렇게 하는 것을 우리는 예의라 부르고 있지 않은가.

사양이니, 겸손이니 하는 것으로 우리의 생활을 가면 무도회장 속으로 밀어 넣는 것이 아닌가.

이러한 생활 태도가 몸에 배어 있는 사람이 어떻게 솔직하고 정직하게 자신의 생각을 전부 말할 수 있겠는가.

과연 자신의 심정을 있는 그대로 솔직하게 털어놓을 수 있는 용기 있는 사람이 몇이나 되겠는가.

사랑을 할 때에도 자기 자신의 감정을 사실대로 이야기하는 것을 꺼린다.

담담하게 침묵을 유지하거나, 서로 터놓고 마음속 깊은 곳의 얘기를 꺼내기조차 힘들다.

그래서 자기 자신을 상대방에게 순수하게 바치지 못하고, 굳이 시인의 시구를 인용하는 것이다.

그러면서, 마치 사랑이라는 열병에 걸린 것처럼 가장해 상대를 속이려고 하는 것이다.

나는 솔직히 그녀에게 내 속마음을 털어놓고 싶었다.

'당신은 내 마음을 모른다' 고.

그러나 그렇다고 해서 내 마음을 어떻게 털어놓아야 할지 나 자신도 잘 알지 못했다.

나는 그녀와 작별 인사를 하기 전에 영국의 시인이자 비평가인 머시 아놀드의 시집을 주었다.

그 시집에 있는, 〈묻혀진 생명〉이라는 한 편의 시를 읽어 보라고 권해 주었다.

말하자면 그것이 나의 고백이나 마찬가지였다.

나는 그렇게밖에 내 마음을 전할 방법이 없었다.

그러고서 나는 그녀의 침대 곁에 몸을 굽히고서 작별 인사를 했다.

"그럼 안녕히……."

그녀 역시 내게 작별의 말을 했다.

"안녕히 가세요."

그렇게 말하며 그녀는 자기의 한쪽 손을 내 머리에 올려놓았다.

예전에 내게 반지를 빼 주면서 그랬던 것처럼.

순간 내 몸은 갑자기 떨렸다.

어린 시절의 그리움이 다시 한 번 마음속에서 떠올라 꿈틀거렸다.

나는 그 자리를 쉽게 떠날 수가 없었다.

그래서 그녀의 깊고도 신비스러운 두 눈을 들여다보며 그녀가 가지고 있는 마음의 평화가 내 마음 깊은 곳으로 들어오기를 기다렸다.

그러고 나서야 나는 간신히 몸을 일으킬 수 있었다.

그리고 나는 그날 밤 그녀가 말했던 백양나무에 관한 꿈을 꾸었다.

그녀가 말했던 것과는 달리, 백양나무 주변에서는 바람이 심하게 불었지만 나뭇가지에 대롱대롱 매달려 있는 잎사귀들은 하나도 움직이지 않았다. 유쾌하지는 않은 꿈이었다.

묻혀진 생명

우리들 사이에 농담이 가볍게 오가지만
보라, 내 눈에 눈물이 고여 있는 것을.
알 수 없는 슬픔이
내 가슴속을 강물처럼 넘쳐흐른다.
우리는 진정 알고 있다.
서로가 농담을 주고받으며
밝은 웃음을 나눌 수 있음을.
그러나 이 가슴에 맺혀 있는 무엇인가 있어서
그대의 가벼운 농담조차 받아들이지 못하니
그대의 밝은 미소도
나에게는 위안이 되어 주지 못하네.

사랑하는 이여,
그대의 손을 내 손에 주오.
말없이 그대의 몸을 나에게 기대 보오.
그대의 맑은 눈동자를 내게 보여주오.
그대의 마음속 깊은 곳을 들여다볼 수 있도록.

오, 참된 사랑마저도
마음의 문을 열고
말하게 할 능력이 없는가.
사랑으로도 서로의 진심을
솔직하게 털어놓기가 이렇듯 힘이 드는가.
세상 사람들이 그 마음을 표현할 때
거절당할 것을 두려워하고
비난받을 것을 두려워하여
마음의 문을 열지 않음을 아노니
모두들 거짓으로 살고
허위 속에서 생활하는 것이다.
타인에게도, 자신에게도
친밀함을 느끼지 못함을 또한 아노니,
그렇지만 사람의 가슴엔 모두
똑같은 심장이 뛰고 있다.

사랑하는 이여,
우리들마저 그러한 속박으로
가슴이 눌려야 하는가.

아무런 말도 할 수가 없는 것인가.
아, 단 한순간만이라도
우리의 마음을 열어
굳어 버린 입술을 열게 할 수 있다면
얼마나 좋을까마는
그것을 속박하는 것이 우리의 운명인가.

사람이 철없는 어린아이처럼 되어
때론 장난에 마음을 빼앗기고
또 때론 온갖 싸움에 말려들지만,
자기의 본 마음을 상실하게 될 것을
이미 알고 있는 운명은,

성급함으로 자기를 잃지 않고
조급한 마음을 눌러
존재의 법칙에 순응하도록
보이지 않는 생명의 강에 명령하여
우리 가슴속에 흐르는 물줄기를 통해
알 수 없는 물결을 따라 흘러가게 한다.
그 운명의 장난은
사람의 눈으로 하여금
깊이 흐르는 강물을 보지 못하게 하여
끝없이 생명의 강을 따라 흘러가면서도
마치 눈먼 사람처럼
아득히 헤맨다.

이 세상의 혼잡한 거리에서
또한 싸움의 소용돌이 속에서
가끔 우리는 그 묻혀진 생명에 대해 알고픈
형언할 수 없는 희망에 들끓어 오른다.
그것은 우리 생명의 길을 찾기 위해
또한 진실하고 깊은
생녕의 물줄기를 발견하기 위해
마음의 불꽃과 끊임없이 힘을 모은다.
그것은 모든 것을 바치고자 하는 열망이다.
가득한 정열로
고동치는 심장을 찾아내려는
끝없는 동경이다.
그것은 우리가 어디서 와서 어디로 가는지를
알고픈 뜨거운 소망이다.

사람들은 이렇듯
자기 자신을 찾아다니지만
그 가슴속이 너무 깊어
아무도 그 바닥을 들여다보지 못한다.
우리들 모두는 온갖 방법으로
많은 힘을 발휘했건만
단 한순간도
우리의 진실된 모습을 찾을 수 없었다.
가슴속 깊이 흐르는

이름 모를 감정을
한 가지도 표현할 길이 없구나.
그것은 영원히 표현되지 않은 채
흘러가 버렸다.
우리는 마음속에 숨어 있는
참된 자기를 따라
말하고 행동하고 노력했지만
끝내 아무런 소용이 없었다.
아, 우리의 말은 그럴듯하고
이제 행동 또한 훌륭하지만
아, 그것은 더 이상 진실이 아니다.

그리하여 헛된 마음의 시도에 지치고
수많은 괴로움과 공허함 끝에
마취와 망각을 베풀어 달라고
순간을 향해 간청하니,
효험이 재빨리 나타나
우리의 마음이 희미한 어둠에 싸인다.
하지만 가끔은
영원의 깊은 곳으로부터 들릴 듯 말 듯
가냘픈 소리와 메아리가 들려와
우리의 생활을 고독하게 한다.

아, 드문 일이긴 하지만
그리운 사람의 손이

우리 손 위에 놓여질 때,
또한 끝없는 소리와 광채에 싸여
한 순간이 영원으로 빠져 들어가는 듯할 때,
우리의 눈이 이상하게도
사람의 눈길을 읽을 때,
사랑하는 이의 목소리가
어디선가 들려올 때,
우리의 가슴 어디에선가
빗장 열리는 소리가 나고
오랫동안 듣지 못한 감정의 움직임이
다시금 고동치게 된다.

눈동자가 안으로 향하면
우리의 심장이 훤히 드러나 보인다.
그리하여 가슴에서 일렁이는 감정들이
우리의 말이 되고,
진실로 원하는 것을
깨닫게 된다.
이 때 우리는
생명의 흐름을 보게 되며,
조용한 흐름의 굽이 속에서
숨소리를 듣게 된다.
그 흐름 위를 스치는 바람,
그것을 뺨에 느끼며
강변에 피는 꽃향기,

그 향기를 호흡하며
그 흐름이 지나가는 초원과 태양을
바라보게 된다.

헛되이 스러지는 그림자를
끊임없이 찾아 헤매었건만
바라던 조용한 휴식은
찾아와 주지 않았다.
그러나 서늘한 바람,
얼굴 위를 스치며 고통을 줄여 주고
평화의 기운 가슴에 넘쳐
마침내 평화가 찾아오네.
사람들은 이제
자기 생명의 원천이 솟아 나오는 언덕을,
그리고 생명의 강이 흘러 들어가는 바다를
뚜렷이 알았노라고 생각하리.

여섯 번째 추억

다음 날, 아침 일찍 문 두드리는 소리가 들려왔다.

궁중의 시의(궁중에서 왕과 왕족의 진료를 맡은 의사)이기도 한 내 주
치의가 찾아온 것이다.

그 늙은 시의는 내가 살고 있는 이 작은 마을의 주민들에게 진실로
다정한 친구이다.

또한 육체와 정신 모두를 위로해 주고 위안을 베풀어 주는 사람이

도 했다.

그는 그의 아버지로부터 2대째 이 마을에서 우리들이 자라나는 것을 지켜보았고, 돌보아 주었다.

그가 해산을 도왔던 아이들이 점점 커 가는 것을 돌보아 주었다.

그 아이들이 이제는 모두 성장하여 이미 누군가와 결혼을 해 다시 자식을 낳은 아버지나 어머니가 되어 있었다.

그러나 그는 아직도 그렇게 커 버려 자기 자식을 낳은 어른들조차도 모두 어린아이로 생각하고 있었다.

그는 독신으로 결혼을 하지 않고 살아 왔다.

지금은 꽤 늙었음에도 불구하고 나이에 비해 정정하였고, 외모 또한 늠름했으며 풍채가 좋았다.

내 기억 속에 아직도 선명하게 남아 있는 그의 모습은 어릴 적 보았던 그 때의 그 모습이다.

밝게 빛나는 푸른 눈이 짙은 눈썹 밑에서 반짝거렸다.

숱이 많은 머리카락은 백발이 다 되었어도 여전히 젊은 힘으로 가득 차 활기차고 생생했다.

은으로 된 장신구가 달린 그의 의료 도구, 새하얀 양말, 그리고 늘 새 옷처럼 보였던 그가 입은 옷들이 모두 기억 속에 남아 있다.

사실은 오래되고 낡은 윗도리에 불과했지만, 그 때의 그를 설명할 수 있는 모든 것들은 잊어버리려 해도 잊을 수 없도록 내 머리에 각인되어 있었다.

마치 뜨거운 것을 만져 아직까지도 손등이나 발등에 남아 있는 화상의 흔적과도 같은 것이었다.

그의 손에 항상 들려 있는 그 꼬부랑 지팡이는 내가 어렸을 때에도 들고 다녔던 지팡이 그대로다.

내가 병을 앓고 누워 있으면 언제나 찾아와 나의 맥을 짚어 보거나 치료를 해 주었다.

그 때, 내 침대 머리맡에 두었던 그 지팡이를 잊을 수가 없다.

나는 어렸을 때 몸이 허약해서 툭하면 잔병에 걸려 며칠씩 자리에 누워지내곤 했었다.

잦은 병치레에서 내가 벗어날 수 있었던 것은 신앙이라 불러도 좋을 그 의사에 대한 믿음 때문이었다.

나는 그가 내 병을 고쳐 줄 것이라는 것에 대해 한번도, 그리고 조금도 의심해 본 적이 없다.

내가 아플 때면 어머니는 으레 그 의사를 모셔 와야겠다고 말씀하시며 나갈 준비를 했다.

나는 어머니의 그 말이, 찢어진 바지를 수선하기 위해 재봉사를 불러와야겠다는 말처럼 느껴졌다.

재봉사는 찢어진 바지를 오랜 기간 쌓은 능숙한 솜씨로 틀림없이 제대로 고쳐 놓을 게 뻔하기 때문이다.

그와 같은 이치로 나는 그 의사가 와서 지어준 약만 먹으면 그대로 내 병이 고쳐지는 것으로 믿었다.

그런 그 의사가 아침 일찍 나를 방문한 것이다.

그는 방 안으로 들어오자마자 나에게 말했다.

"요즘 어떻게 지내고 있나? 얼굴색이 그리 좋아 보이지 않는군. 자넨 공부를 너무 많이 해서 탈이야. 그렇게 무리하면 안 되네. 아니, 지금은 그런 이야기를 하고 있을 때가 아니지. 내가 일부러 이렇게 자네를 찾아온 건 말이야. 따로 할 이야기라 있어서야. 그게 뭐냐면……. 앞으로 자네는 마리아 공녀를 찾아가면 안 된다는 얘기를 하려고 왔네. 실은 이 이야기 때문에 들른 거야. 지난밤엔 마리아 공녀 곁에서

꼬박 밤을 지새웠어. 위험한 상태였거든. 갑자기 그렇게 된 것이 아무리 생각해도 자네 때문이 아닌가 하는 생각이 드는군 그래. 그러니 마리아 공녀의 생명을 진정으로 소중히 여긴다면 다시는 찾아가지 않는 게 좋을 거야. 가능한 한 빨리 마리아 공녀를 이 고장에서 떠나게 해야 할 것 같아. 조용한 시골에서 요양하지 않으면 공녀의 건강은 회복되지 않을 것 같아. 지금 상황이 그래. 그러니 자네도 당분간 어디 여행이라도 좀 다녀오든지 해서 이 고장을 잠시 떠나 있는 것이 나을 것 같아, 이렇게 찾아온 걸세. 섭섭하다 생각 말고 내가 한 말을 곰곰이 잘 생각해 보게. 그럼 잘 있게나. 이만 가 보겠네."

그는 그 말을 하면서 내 손을 꼭 쥐었다.

그리고 자기가 부탁한 말을 꼭 들어주어야 한다는 눈초리로 내 눈을 잠시동안 지그시 바라보았다.

그러더니 이내 어린 환자들을 돌보러 가야 한다며 나가 버렸다.

나는 다른 사람이 어떻게 그렇게 나만이 알고 있는 비밀을 아는지 궁금했다.

나만이 알고 있다고 생각한 공녀에 대한 나의 사랑, 그 비밀 속으로 어떻게 그가 들어왔는지에 대해 깜짝 놀랐다.

그뿐만 아니었다.

그는 내 스스로도 깨닫지 못하고 있었던 것까지 꿰뚫고 있었다.

나는 비로소 의사의 말을 다시 되새기며 깊은 생각에 잠기게 되었는데, 그 때는 이미 그가 바깥으로 나간 후였다.

내 마음은 동요하기 시작했다.

마치 오래도록 불 위에 올려놓은 물이 조용히 끓다가 갑자기 끓어올라 넘쳐 버릴 것 같은 그런 마음 상태가 되어 버린 것이었다.

그녀를 두 번 다시 만나서는 안 된다니…….

나는 그녀 곁에 있을 때에만 내가 살아 있는 것을 느끼지 않았는가.

그런데 만나지 말라니.

공녀의 생명을 소중하게 생각한다면 만나지 말아야 한다니.

나는 참을 수 없는 슬픔이 밀려와 잠시 넋을 놓고 있었다.

나는 그저 아무 말 없이 조용히 그녀 곁에 있기만 해도 좋은데, 더 다른 것을 바라지도 요구하지도 않는데…….

그것조차, 그냥 곁에 있는 시간조차 허락되지 않는 것인가.

그녀가 잠을 자고 있는 동안에도, 꿈을 꾸고 있는 동안에도 그녀 방의 창가에 서서 서성거리는 것은 고통스러운 일이다.

그녀를 두 번 다시 볼 수 없다는 생각을 하는 것만으로도 그건 고통스러운 일이었다.

심지어 작별 인사조차 하지 말라니, 나는 견디기 힘든 고통으로 숨이 막혔고 심장은 마구 제멋대로 요동쳤다.

가장 안타까운 것은 그녀가, 내가 자신을 사랑하고 있다는 사실을 알지 못한다는 것이다.

알 리가 없다.

아니, 그녀에 대한 내 마음은 어쩌면 사랑이 아닐지도 모른다.

나는 그녀에게 바라는 것이 아무것도 없으며, 아무런 욕망도 갖고 있지 않으니까.

어쩜 그것은 사랑이 아닐지도 모른다.

사랑한다면 심장이 뛰는 걸 알 수 있을 텐데, 내 심장은 오히려 그녀 곁에 있을 때면 조용해졌다.

하지만 나는 그녀가 내 곁에 있다는 것을 확인하고 그녀를 가까이에서 느끼지 못하고는 견딜 수가 없다.

그녀의 영혼과 함께 호흡하지 않고는 배길 수가 없는 것이다.

그녀 곁으로 가지 않고는 참을 수가 없는 것이다.

더구나 그녀는 나를 기다리고 있을지도 모른다.

운명이 우리 두 사람을 끌어당기고 있다.

그런데 그러한 운명이 아무런 의미가 없는 것인가?

내가 그녀에게 위안이 되어 주고, 그녀가 나에게 휴식이 되어 주라고 우리가 만난 것은 아닐까?

인생이란 결코 장난이 아니다.

두 영혼의 만남이란 뜨거운 모래바람에 의해 뭉쳤다가 다시 제멋대로 흩어져 버리는 사막의 모래 더미가 아니다.

운명이 우리에게 준 기회를 놓쳐서는 안 된다.

우리는 그 운명의 끈을 단단히 움켜쥐고 있어야 한다. 그 끈을 놓게 되는 것은 있을 수도 없는 일이며, 놓아서도 안 된다.

그 운명이 우리에게 베풀어 준 호의를 위하여 살고, 그것을 위하여 싸운다면 그 운명은 여전히 우리 것으로 남아 있을 것이다.

운명이 베풀어 준 호의를 지키기 위해, 죽음조차 마다하지 않는 용기로 맞선다면 그 어떤 외부의 힘도 그것을 빼앗아 갈 수는 없을 것이다.

그녀에 대한 나의 사랑은 한때의 기분에 따라 움직이는 것이 아니다.

그렇다고 해도 내가 그 운명의 끈을 맥없이 놓아버린다면, 그녀가 어찌 나를 경멸하지 않을 수 있겠는가.

그것은 잠시 시원한 꿈을 꾸게 해 주었던 나무 그늘을 천둥이 한 번 내리쳤다고 해서 쉽사리 그 자리를 떠나 버리는 것과 같다.

내 마음은 조금 전과 달리 잠잠해졌다.

그리고 '그녀의 사랑' 이라는 말만이 귓가에 맴돌았다.

그것은 내 영혼의 틈새에서부터 메아리와 같은 울림이 되어 나왔다.

그런 내 자신에 대해 나 스스로도 놀라고 있었다.

'그녀의 사랑'이라니…….

대체 내가 무슨 자격으로 그런 생각을 하고 있었던가?

그녀는 내 마음을 알 리가 없다.

설령 그녀가 나를 사랑한다고 할지라도 내 어찌 천사와도 같은 그녀 사랑의 대상이 될 수 있겠는가?

나는 그런 사랑을 받을 만한 아무런 자격이 없다고 스스로 고백하지 않으면 안 될 것이다.

생각이 꼬리에 꼬리를 물었다.

내 마음속에 일던 생각과 희망이 푸른 창공 속으로 날아가려고 한다.

나는, 자신이 새장에 갇혀 있다는 사실을 잠시 잊었던 새처럼 다시 제자리로 돌아와야 했다.

아, 원하는 행복이 바로 옆에 다가와 있는데도 손을 뻗어 그것을 잡을 수 없단 말인가.

신의 보살핌이 내 몫이 아니란 말인가?

신은 매일 아침마다 기적을 행하고 계시지 않은가!

내가 충만한 신앙으로 그에게 매달려 간절히 기도할 때, 신은 가끔 내 기도를 들어주었다.

신이 그것을 들어주지 않고는 배기지 못할 때까지 내 뜻을 굽히지 않았을 때, 그 때도 신은 내 기도를 들어주었다.

우리들이 원하는 것은 결코 이 세상의 한갓 부귀영화가 아니다.

덧없이 왔다 덧없이 사라지는 그런 종류의 행복이 아니다.

단지 서로를 알아보고, 서로를 가깝게 느끼게 된 두 영혼이 손을 맞잡고, 서로 눈을 맞추며 인생이라는 긴 여행을 함께 하겠다는 것뿐이다.

그리고 그 여행이 끝날 때까지 내가 그녀의 고통을 위로해 주고, 나의 외로움을 그녀가 달래주면 되는 것이다.

그러니까 서로가 서로에게 보호자가 되어 주는 그런 행복 말이다.

앞으로 만약 그녀의 인생에 늦은 봄이 약속되어 있다면, 늦더라도 봄이 찾아와 준다면 이 얼마나 행복한 일인가.

또 그녀의 고통이 사라질 수만 있다면 내 눈앞에는 얼마나 아름다운 광경이 펼쳐질 것인가!

티롤 지방에 있는 돌아가신 그녀 어머니의 성은, 지금 그녀의 소유로 되어 있다.

그 곳에 있는 푸른 산과 맑은 공기 속에서라면 삶을 고요하고 평화롭게 살아나갈 수 있을 것이다.

건강하고 소박한 마을 주민들이 사는 그 곳이라면 이 세상의 근심이나 고통, 싸움 따위로부터 멀어져서 조용하게 생을 살아갈 수 있을 것이다.

괜스레 질투하는 사람도 없고, 이것저것 하지 말라고 제재를 가하는 사람도 없을 것이다.

축복 속에서 살다가 인생의 황혼기를 맞이하고, 말없이 지는 저녁놀처럼 이 세상을 떠날 수는 없는 것일까?

정녕, 그렇게 살고 싶다.

그러한 생각을 하고 있으려니 별빛에 반사되어 반짝반짝 빛나던 그 거무스름한 호수와 눈덮인 봉우리가 마치 눈앞에 펼쳐져 있는 듯했다.

양떼들이 딸랑거리는 방울 소리를 내며 초원으로 이동하는 소리와 그 양떼들을 모는 목동의 노랫소리가 멀리서 들려오는 듯하다.

어깨에 사냥총을 멘 포수가 무엇인가를 잡기 위해 가파른 산을 올라가고 있다.

늙은이와 젊은이 할 것 없이, 저녁이 되면 마을 앞 광장에 모여드는 사람들도 눈에 보이는 듯하다.

마리아는 평화의 천사처럼 가는 곳마다 축복을 뿌려 주며 지나가고 있다.

그리고 나는 그녀의 친구이자 안내자로서 동행하는 것이다.

난 그 때까지도 그런 생각에 젖어 있었다.

"아, 넌 정말 어리석은 인간이야!"

나는 내 자신에게 이렇게 말하지 않을 수 없었다.

나는 바보 천치라고.

아직까지도 이렇게 어린아이처럼 감상적인 마음을 갖고 있는 나 자신이 너무 어리석어 보였다.

나는 새삼스럽게 대체 나는 어떤 인간이며, 지금 그녀와의 거리가 얼마나 떨어져 있는가를 생각했다.

사실, 그녀는 정말로 다정하고 친절하다.

그녀는 자기 자신을 다른 사람의 마음속에 비추어 보기를 좋아한다.

하지만 반대로 말해 그녀의 친절함과 천진스러움은 그저 그것으로 끝인지도 모른다.

오히려 그녀의 마음속에 나에 대한 다른 어떤 감정이 없기 때문에, 그렇게 천진하며 친절한지도 모른다는 생각이 들었다.

정말로 사랑한다면 나를 대하는 행동이 그토록 자연스럽고 조용하며 평화로울 수 없을 것이다.

별이 총총한 맑은 여름날 밤, 우뚝우뚝 솟아 있는 측백나무 숲을 지나 홀로 걸어 본 적이 있는가?

밤하늘의 달빛이 모든 나뭇가지와 잎새에 그 밝음을 선사하는 모습을 본 일이 있는가?

달빛은 나무뿐만 아니라 근처의 거뭇거뭇한 늪도 비추고, 작은 물방울에도 그 빛을 골고루 나누어준다.

그것과 마찬가지다.

그녀는 달빛과도 같은 광선을 아무 특별한 마음 없이 내 어두운 가슴에 비춰 주고 있는 것이다.

그로 인해 그녀의 따뜻한 빛을 내가 간직할 수는 있는 것이다.

그러나 그 이상은 아무것도 아니다.

그것뿐이다. 그러니 그녀에게서 아무것도 기대해서는 안 된다!

그 순간, 그녀의 모습이 너무나도 뚜렷하게 내 눈에 비쳤다.

그녀는 추억 속에서가 아니라 완전한 현실 속에 서 있었고, 나는 그런 그녀가 얼마나 아름다운 여인인지 처음으로 인식하게 되었다.

그녀의 아름다움이란 아리따운 소녀의 아름다움처럼 보는 이로 하여금 첫눈에 현혹시킨다.

하지만 그녀의 아름다움은 봄날의 꽃과도 같이 이내 흔적 없이 사라지고 마는 그런 아름다움이다.

그녀가 간직한 진정한 아름다움이란 외모나 일체의 행동이 함께 보여주는 완벽한 조화였다.

그녀의 행동 하나하나는 진실성이 배어 있었으며, 한마디 한마디는 성실하고 진지했다.

정신적으로도 세련되었으며, 육체와 정신의 완벽한 조화로 보는 이로 하여금 기쁨을 느끼게 하는 그런 것이었다.

대자연이 우리에게 베풀어 주는 아름다움이란 그것을 받는 사람이 제대로 받아들이지 못하면 아무것도 아니다.

혹은 그것을 받을 만한 자격이 없다거나, 그것을 극복할 능력이 없다면 그것 또한 아무것도 아니다.

만족감을 얻기는 더더욱 어려운 법이다.

즉, 여배우가 여왕의 복장으로 무대에 나타난다 하더라도, 여왕의 정신과 마음을 갖지 않았다면 그 역할은 자연스럽지 않다.

그 동작이 어색하여 여왕의 복장이 어울리지 않는다면 그 여배우는 연기를 제대로 할 수 없게 된다.

여왕의 기품과 정신을 가진 여배우만이 여왕 역할을 제대로 할 수 있을 것이다.

아무리 그녀가 빼어난 외모를 가진 여배우라 할지라도 말이다.

진정한 아름다움이란 자연스럽고 우아한 것 아니면 안 된다.

모든 짐스러운 것과 육체적인 것, 현실적인 것들을 정신적으로 극복하고 화해하고 조화를 이룰 때에만 그 아름다움은 진짜가 되는 것이다.

심지어 추한 겉모습조차도 아름다운 것으로 바꾸어 놓을 정도의 높은 정신을 가졌다면 그것이 진정한 아름다움이다.

그것을 알고 있는 정신이야말로 아름다운 것이라 생각한다.

나는 내 앞에 서 있는 그녀의 환상을 바라보면 바라볼수록 마음이 드높아지고 깊어지게 된다.

그 모습 전체에서 고귀한 아름다움과 정신의 깊이를 가늠할 수 있기 때문이다.

아, 천상의 행복이 지금 내 곁에 있는 것일까?

가슴 벅찬 행복이 솟아오른다.

그러나 그것도 잠시뿐, 행복의 결정체를 내게 한번 보여 주고서 다시 사막 한가운데로 나를 떨어뜨리고 만다.

아, 이 지구 위의 아름다운 보석을 차라리 내가 알지 못했더라면 좋았을 것이다.

한 번 사랑하고는, 그 다음은 영원히 고독해야만 하는 것!

한 번 믿음을 갖고는 영원히 절망해야 하는 것!

한 번 바라보고는 영원히 눈이 멀어 버리는 것!

이것이야말로 인간이 발명해 낸 어떤 고문보다도 고통스러우며 잔인한 것이다.

이와 같이 내 생각은 앞으로 앞으로 뻗어 나가고 있었으나, 나중에는 그 모든 것이 조용해졌다.

소용돌이치던 상념도 차츰 가라앉았다.

아마 이러한 침착과 안정을 명상이라고 하는가?

아니, 내 자신에 대한 조용한 관찰이라고 해야 할 것이다.

여러 가지 생각에다 시간을 투자하게 되면 그것들은 영원의 법칙에 따라 자연적으로 그 결정체를 형성하게 된다.

이런 과정을 마치 과학자처럼 관찰하고 있으면, 그 요소들이 생각했던 것과는 아주 다른 모습으로 변해 버릴 때가 있다.

그리하여 우리는 관찰하다 말고 어리둥절해지는 것이다.

나는 이러한 생각에 잠겨 있다가 툭툭 자리를 털고 일어났다.

그리고 처음으로 생각난 단어가 '여행'이었다.

나는 여행을 떠나기로 마음먹었다.

그래서 책상에 앉아 궁중 시의인 내 주치의에게 편지를 썼다.

2주일 가량 여행을 떠날 예정이니 뒷일을 잘 부탁한다는 내용이었다.

부모님께는 얼마든지 둘러댈 핑계가 있었다.

그날 저녁 무렵, 나는 이미 티롤 지방으로 향하는 여행길에 올라 있었다.

일곱 번째 추억

다정한 친구와 함께 팔짱을 끼고 티롤 지방의 산과 골짜기를 누비고 헤매노라면, 몸과 마음에 더할 나위 없는 기쁨과 위안이 될 것이다.

하지만 혼자서 쓸쓸하게 온갖 생각에 빠져 돌아다니는 것은 어떤가.

그것도 우울한 생각만을 벗삼아 똑같은 길을 돌아다닌다는 것은 시간 낭비라고밖에 할 수 없다.

푸른 산과 어둑어둑한 골짜기, 맑은 호수와 시원한 폭포수, 그런 것들도 나에게는 아무런 위안이 되어 주지 못했다.

그것은 자연의 경이로운 아름다움을 바라보는 것이 아니다.

오히려 그것들이 쓸쓸하고 고독하게 서성이고 있는 나를 바라보고 있는 것 같은 느낌이 들었다.

이 세상에서 아무도 나와 함께 있으려고 하지 않는다는 생각을 하자 나의 가슴은 답답하기 그지없었다.

같이 있고 싶은 사람과 헤어져서 이 곳까지 왔다는 사실이 온종일 내 마음을 졸라맸다.

이 넓은 세상에 홀로 내던져진 느낌······.

그런 것들에 시달리다가 나는 매일 아침, 잠에서 깨어났으며 그 생각은 아무리 해도 내 몸에서 떨어져 나가지 않았다.

마치 나도 모르게 입에서 흥얼거리며 나오는 노래처럼 그러한 느낌들이 내게 달라붙어 나를 지배하고 있었다.

저녁때가 되어서는 지친 몸을 이끌고 여관으로 돌아와 쉬고 싶었다.

하지만 거실에 모여 있는 사람들이 나를 고독한 눈으로 바라보며, 고독한 방랑자인 나를 이상한 눈으로 쳐다보는 것 같았다.

나는 그 시선을 견딜 수가 없어 도로 나와 버렸다.

그래서 나는 그 곳을 나와 외로운 나를 아무도 바라볼 수 없는 어두컴컴한 밖을 헤매었다.

나는 모두가 잠든 으슥한 밤이 되어서야 비로소 조용히 여관 방을 찾아들었다.

살그머니 따뜻한 침대에 몸을 던지고는, 잠이 들 때까지 슈베르트의 음악을 내리 들었다.

'그대 있지 않은 곳에 행복이 꽃피네.'

나중에는 어디를 가도 사람을 만나는 것이 너무나도 괴로워 그들을 피할 수밖에 없었다.

만나는 사람들, 아름다운 자연을 마음껏 즐기며 감탄하는 사람들을 만난다는 게 괴로워서 낮에는 여관에서 잠을 잤다.

밤이 되면 으레 밖으로 나와 괴로운 생각만을 머릿속에 가득 담고는 이곳저곳을 헤매 다녔다.

그럴 때면 나를 찾아와 괴롭히는 감정이 있었다.

그것은 바로 공포였다.

아무도 없는 캄캄한 밤에 혼자서 길도 모르는 산을 넘고 넘어 다닌다는 것은 무서운 일이다.

그것은 겪어 본 사람이라면 다 알 것이다.

매일 그러고 다니다 보면 신경이 쇠약해진다.

그래서 뚜렷하지 않은 어떤 형체가 멀리서 가물거리는 것 같고, 귀까지도 긴장하여 무슨 소리가 들리는 듯했다.

어둠 속에서 삐죽 튀어나온 돌부리를 미처 피하지 못해 걸려 넘어지기도 한다.

폭포에서 날아온 물방울에 젖어 있는 길에 미끄러지기도 했다.

그럴 때면 가슴에는 애달픈 비애가 끓어올랐다.

그 비애는, 마음을 따뜻하게 적셔오는 잔잔한 추억도 없으며, 기대할 희망도 없는 황량함만을 가져다 주었다.

이러한 여행을 하는 사람은 아마 안팎으로 밤의 전율을 느끼게 될 것이다.

인간의 마음에서 최초로 일어나는 공포는 신에게서 버림받았다는 생각에서부터 온다.

그러나 매일매일 생활하는 가운데서 그러한 공포를 몰아내게 된다.

신의 모습과 닮은 주변의 인간들이 신을 대신해서 우리를 달래 주고 위로해 주기 때문에 매일매일의 공포를 잊고 산다.

그러나 인간의 위안과 사랑이 다시 한 번 우리를 내버릴 때, 그 때 우리는 신과 인간에게서 동시에 버림받게 되는 것이다.

그렇게 되면 아름다운 자연까지도 우리를 위로해 주기는커녕 오히려 공포로 떨게 만든다.

예를 들어 단단한 바위 위에 앉아 있다가도 갑자기 그 바위가, 처음 생기기 이전의 상태인 먼지와도 같다는 생각이 들면서 흔들리는 것만 같아진다.

그리하여 그 바위가 부서지거나 굴러 떨어지지는 않을까 하는 공포심이 들 때가 있을 것이다.

그리고 전나무 사이로 나타난 달이 높은 암벽 위에 비칠 때, 그 암벽에 드리워진 나뭇가지의 그림자가 마치 시계 바늘처럼 보일 때도 있을 것이다.

예전에는 바늘이 잘 돌아갔으나 끝내는 그 바늘이 정지해 버려 더 이상은 시간을 알리지 못하는 죽어 버린 시계의 바늘처럼 보인다.

밤하늘의 별을 올려다볼 때도 그러하다.

드넓은 하늘 그 어디에도 고독하고 황량한 이 영혼을 받아 줄 보금자리 하나 없는 것이다.

그러나 단 한 가지, 이 생각만큼은 우리에게 위안을 가져다 준다.

그것은 바로 자연의 안식과 질서와 무한성이다.

이 곳 폭포 주위에 검푸른 이끼로 덮여 있는 회색 바위 밑, 그 서늘한 곳에서 나는 우연히 파랗게 피어 있는 물망초를 발견했다.

그 물망초는 지구상의 수많은 개울가 어디에서나 피어 있는 흔한 것이다.

또 목장에도 피어 있을 것이며, 천지 창조 이래 오늘까지 계속해서 피어 온 수많은 물망초 중 하나에 불과한 것이다.

그러나 그 꽃은 특별하다.

꽃잎 하나하나의 모양이나, 꽃받침 속의 꽃술이나, 뿌리에 있는 모든 섬유들은 각기 일정한 숫자들을 가지고 있다.

하지만 그 일정한 숫자들을 늘리거나 줄일 수 있는 사람은 이 세상 어디에도 없다. 변함이 없는 것이다.

또한, 눈을 크게 뜨고 인간이라는 한계를 벗어나서 자연의 비밀 속을 들여다보자.

그것들을 관찰해 보거나, 현미경으로 꽃씨와 꽃봉오리의 숨겨진 작업장을 들여다보라.

그러면 우리는 그것들의 미세한 조직과 끊임없이 되풀이되는 세포의 분열들을 볼 수가 있다.

이 안에는 위대한 자연이 설계해 놓은 영원성과 불변성이 담겨져 있는 것이다.

여기서 더 깊이 파고든다면 자연의 여기저기에 이와 같은 모습이 존재하고 있음을 알게 될 것이다.

그것은 마치 사방이 거울로 둘러싸인 방 안으로 들어간 것과 같다.

우리 눈은 수많은 거울 속에서 갈피를 잡지 못하고 그저 넋을 잃고 망연자실해 있을 것이다.

또 고개를 들어 푸른 하늘을 보라.

그러면 위성이 행성의 주위를 돌고, 행성이 항성의 주위를 돌며, 다시 항성은 다른 항성을 돌고 있는 영원한 질서를 볼 수가 있다.

아침이면, 태양이 어김없이 햇살을 비춘다.

그렇듯이 자연의 질서는 언제든 일정한 것이다.

눈을 좀더 날카롭게 뜨고 보면 저 너머 먼 성운마저도 새롭고 아름다운 세계가 되는 것이다.

생각해 보라!

저 장엄한 성좌가 위아래로 움직이며 사계절을 만들고, 이 물망초로 하여금 싹을 틔우게 하고…….

그리하여 잎이 돋아나고 꽃봉오리를 열게 만들고 열매를 맺게 하여 저 푸른 목장을 융단처럼 수놓는 것을…….

또한 푸른 꽃받침 속에서 흔들리며 움직이는 딱정벌레를 보라.

벌레 한 마리조차 생명에의 눈을 뜨고, 그 생활을 즐기고 있다.

작은 벌레 한 마리조차 자연을 생생하게 호흡하고 있는 것은, 꽃의 조직이나 생명 없는 우주의 구조보다도 훨씬 더 놀라운 일 아닌가?

아울러 우리 자신도 이 영원한 조직에 속하고 있음을 생각해 보라.

그러면 우리와 더불어 운행하고, 우리와 더불어 살고 숨쉬며, 우리와 더불어 사라져 가는 많은 피조물을 생각하고는 저절로 위안을 받게 될 것이다.

그리고 이러한 일체의 모든 것을 있는 그대로, 누군가의 창조물로써 인정하게 될 것이다.

아무리 작거나 거대한 것, 지혜롭거나 힘이 센 것, 그 존재 자체가 기적이거나 어떤 기적이 일어나는 그 모든 것 또한 창조물에 의해서 가능한 일일 뿐이다.

그것들 모두는 결국 우리 힘으론 어찌할 수 없는 어떤 존재자의 소산임을 느끼게 된다.

그러면 우리는 그 존재자에 대해 두려움을 느끼는 것이 아니다.

오히려 스스로의 나약함과 무가치함을 인정하고 엎드려 그의 사랑과 자비를 구함으로써 다시 일어나게 된다.

이러한 것을 생각하면 우리는 우리 안에도 무한하고 영원한 것들이 살아 숨쉰다는 것을 안다.

꽃의 세포 분열이나, 별들의 운행이나, 딱정벌레의 생활보다도 더욱 무한한 그리고 더욱 영원한 그 어떤 것이 살아 있다는 것을 느낄 수 있는 것이다.

만약 우리가 우리를 비추는 영원한 존재자의 빛을 느낀다고 하자.

우리는 우리 안에서나 우리 밑에서나 우리 위에서 우리의 가상을 실재로 느끼게 된다.

불안을 평안으로 만들며, 고독을 일상적인 일로 만드는 존재자의 존재를 느끼게 될 것이다.

그 때 우리는 인생의 암흑 속에서 우리가 누구를 향하여 인생을 부르짖고 있는가를 깨닫게 된다.

'아버지이신 창조주시여, 당신의 뜻이 하늘에서 이루어진 것처럼 땅에서도 이루어지소서.
땅에서 이루어진 것처럼 내 안에서도 이루어지게 하소서.'

다시 말해 우리는 여기서, 우리의 내부도 주위도 모두 밝아지고, 새벽의 어둠은 안개 걷히듯 사라진 것을 알게 될 것이다.

기분 좋은 따뜻함이 자연 속에 흘러들어 이제 우리는 여기서 두 번 다시 놓치지 않을 손을 발견할 것이다.

그 손은 산이 진동하고 별과 달이 영원히 꺼질지라도 결코 우리를 놓지 않는 든든한 손이다.

우리가 어디에 있든지 간에 우리는 그의 곁에 있는 것이며, 그는 우리 곁에 있는 것이다.

그는 영원히 우리와 가까운 자로 이 세상에 피는 어떠한 꽃도 어떠한 고통스러운 가시도 다 그의 것이다.

아울러 우리가 느끼는 일상적인 슬픔이나 마음속 깊은 곳에서 우러나오는 기쁨도 모두가 다 그의 것이다.

'신의 뜻이 아니라면 그 어떤 작은 일도 우리에게 일어나지 않으리.'

나는 이와 같은 생각을 하면서 계속해서 걷던 길을 걷고 또 걸었다.

길은 쉼 없이 나타나 다른 길을 보여주고, 그 길은 또 다른 길을 보여주고 있었지만, 나는 무의식적으로 길을 걷고 있었다.

마음은 갑자기 밝아졌다가 이내 끝도 없는 나락으로 떨어지기라도 하듯 또다시 어두워졌다.

그것은 우리가 마음 가장 깊은 곳에서 침착함과 평안을 발견했다 하더라도 고요하고 조용하게 그 성스러운 생활을 계속할 수 없다는 것을 말해 주는 것이다.

우리는 그렇게 생활한다는 것이 쉽지 않다는 것을 알고 있다.

뿐만 아니라 대부분의 사람들이 어렵사리 찾은 침착함과 평안의 소중함을 금방 잊어버린다는 것이다.

그리고 또다시 그것을 찾는 방법, 그 방법조차 잊어버리는 일이 잦기 때문이다.

이로부터 몇 주일이 흘렀다.

그녀로부터는 어떠한 소식도 들을 수 없었다.

'그녀는 이미 죽어서, 고요한 안식 속에 잠들어 있을지도 모른다.'

그런 생각이 머릿속에서 떠나질 않았으며, 밀쳐 버려도 다시 또 되돌아오는 노래가 되고 말았다.

물론 그녀가 죽있다는 것은 충분히 생각할 수 있는 일이다.

내 주치의도 매일 아침 그녀를 찾아갈 때면, 그녀가 이미 이 세상 사람이 아닐지도 모른다는 생각을 하며 방 안으로 들어간다고 하지 않았는가.

그의 말에 따르면 그녀는 심장병을 앓고 있다고 했다.

그러나 만약 내가 그녀에게 작별 인사조차 하지 않고, 또 눈을 감는 그 마지막 순간을 지켜보지 못한다면 어떻게 나를 용서할 수 있겠는가?

내가 그녀를 얼마나 사랑하고 있는지 고백도 하지 못하고 그녀를 떠나보내게 된다면 어떻게 내가 나를 용서할 수 있겠는가?

그렇다면 나는 저승까지라도 그녀를 쫓아가 사랑하노라고, 진정 사랑하노라고 말하리라.

그래서 그녀로부터 생전의 나를 용서해 주겠다는 말을 듣지 않으면 이대로는 살아갈 수 없을 것 같았다.

아, 사람이란 왜 이렇게 자기 인생을 때때로 장난으로 여기는 것일까?

분명 인생은 장난이 아니건만.

그날 그날을 자기에게 주어진 마지막 날이라고 생각한다면 장난스럽고 치기 어린 그러한 행동이 나올 수 있을까?

순간을 놓치는 것은 영원을 잃어버리는 결과가 된다는 것을 어찌 생각하지 못하는 것일까.

그러면서 어떻게 자신이 할 수 있는 최선의 일, 그리고 자신이 가질 수 있는 최고의 아름다움으로 하루하루를 살려고 하는가?

나는 주치의가 나를 찾아와 이야기한 모든 말을 생각해 보았다.

나는 내가 이렇게 갑자기 여행을 떠난 것은 오로지 그에게 나의 남자다움을 보여주기 위함이다.

그 곳에 그대로 남아서 나의 나약함을 보이기 싫어 무작성 여행길에 올랐던 것을 이제서야 깨달았다.

이제 내게 모든 것이 명백해졌다.

지금 내가 해야만 하는 일, 할 수 있는 일은 단 하나, 즉시 그녀에게로 돌아가는 것이다.

그래서 하늘이 우리에게 준 모든 운명을 받아들이고, 그러한 내 모습을 그녀에게 보여주는 것이었다.

그러나 막상 그녀에게 되돌아가려고 하니, 나를 여행길에 오를 수밖에 없게 했던 주치의 말이 떠올랐다.

"가능한 한 빨리 마리아 공녀를 이 고장에서 떠나게 해야 할 것 같아. 조용한 시골에서 요양하지 않으면 안 될 상황이거든……."

또한 그녀 스스로도 내게 이렇게 말한 적이 있다.

그녀는 여름이 되면 대부분 그녀의 성에서 지낸다고 말이다.

가만히 생각해 보니 모든 상황으로 보아 그녀는 지금 그 곳에 있을 것 같았다.

그 성은 여기서 그리 멀지 않은 곳이다.

그녀가 내 가까이에 있는 것이다.

마음만 먹으면 나는 하루도 안 돼 그녀에게로 갈 수가 있다.

가서 그 얼굴을 보고 그 목소리를 들으며 그녀 곁에서 내 마음을 전하리라.

이런 생각이 든 이상 나는 한시도 지체할 수 없었다.

새벽이 되자마자 나는 출발을 서둘렀고, 그날 저녁 그녀가 머물 것으로 생각되는 성 앞에 도착했다.

유난히도 조용하고 밝은 저녁이었다.

산봉우리는 화려하게 지는 저녁놀로 인해 더욱 빛났으며, 산골짜기는 불그스름하게 물들어 있었다.

산골짜기에는 회색빛 안개가 짙게 깔려 있었다.

그 위로 올라갈수록 산의 색깔은 밝아졌으며, 다시 그 위로는 구름의 바다가 하늘을 뒤덮고 있었다.

그리고 이 모든 형상들이 거뭇거뭇한 호수의 잔잔한 물결 위를 아름답게 비추면서 일렁거렸다.

주위의 산들은 호수의 물결을 따라 높이 올라갔다가는 다시 밑으로 내려가기를 반복했다.

단지 나뭇가지들과 교회와 뾰족한 첨탑, 그리고 집에서 올라오는 연기들만이 현실의 세계와 그 곳을 구분지어 줄 뿐이었다.

하지만 나의 시선은 단지 한 군데만을 향하고 있었다.

그것은 그녀가 있을 곳으로 짐작되는 낡은 성이었다.

그런데 내 예감이 빗나간 건지 그 오래된 성의 창문에서는 불빛 하나 새어 나오지 않았다.

사람의 그림자도 보이지 않았고 그 넓은 성 안에서 들려오는 어떤 인기척도 전혀 느껴지지 않았다.

나는 천천히 첫 번째 문을 지나 계단으로 올라갔다.

그러자 성의 앞마당이 나타났고, 그제서야 사람들을 볼 수 있었다.

그 곳에서는 보초 몇몇이 주위를 둘러보며 왔다갔다하고 있었다.

나는 그들에게 다가가 혹시 이 성에 누가 머물러 있느냐고 물었다.

"마리아 공녀와 하인들입니다."

보초는 무뚝뚝하고 짤막하게 대답했다.

나는 그의 대답을 듣자마자 현관으로 달려가 초인종을 눌렀다.

하지만 그 때서야 비로소 내가 지금 무슨 짓을 하고 있는지 깨달았다.

아무도 나를 알고 있는 사람들이 없는 것이다.

보초들이 나를 알아야 한다고 생각한 것은 아니지만, 왠지 당황스러웠다.

예전에 그녀를 만났을 때는, 현관에서부터 나를 아는 사람이 그녀의 방으로 안내해 주었기 때문이다.

그렇기 때문에 내가 누구라는 것을 밝힐 수도, 말할 수도 없는 처지임을 깨닫고는 잠시 멈칫했다.

게다가 나는 몇 주일 동안 산 속을 헤매고 다니고 있었기 때문에 얼굴이며 옷차림이 말이 아니었다.

누가 물으면, 아, 나는 뭐라고 대답을 해야 할까? 누구라고 말하면 편안한 얼굴로 나를 그녀에게 안내해 줄까?

무슨 용무로 왔느냐고 물으면 어떻게 말을 해야 하나, 나는 갑자기 난감해져 조금 망설였다.

하지만 그런 것들을 마음속에서 정리하기도 전에 문이 열렸다.

이것저것 그녀와 나 사이의 여러 가지 것들을 생각하며 할말을 찾고 있는 사이 문이 열렸다.

엄숙한 제복을 입은 문지기가 나타나더니 내 앞에 섰다.

그는 나를 이상하다는 듯이 쳐다보았다.

나는 우선 그에게 마리아 공녀와 항상 함께 지내는 그 영국 부인이 이곳에 와 계시는지를 물었다.

그가 그렇다고 대답하기에 나는 종이에다가 마리아 공녀의 병환이 어떠신지 궁금하여 문안차 왔노라는 내용을 썼다.

그리고 그것을 그에게 내밀며 영국 부인에게 전해 달라고 했다.

문지기는 다른 하인을 부르더니 그 편지를 안으로 들여보냈다. 그의 발걸음 소리가 긴 복도를 울리며 지나가는 소리가 들려왔다.

나는 기다리고 있는 1분 1초를 견디기 힘들어 비참한 느낌이 들었다.

벽에는 공작 집안의 사람들로 보이는 가족의 초상화가 나란히 걸려 있었다.

무장을 한 기사와 옛날 의복 차림의 부인네들, 그리고 한가운데에는 하얀 옷을 걸친 수녀가 가슴에 빨간 십자가를 드리우고 있었다.

나는 전에도 이러한 초상화를 여러 번 보았다.

하지만 그 초상화 속 주인공들이 한때 인간적인 감정을 가진 사람들이었을 것이라는 생각은 해 보지 못했다.

그런데 지금은 갑자기 초상화 속 그들의 얼굴이 한 권의 책을 읽듯이 살아 있는 것처럼 느껴졌다.

또 그들 모두 나를 향하여 '우리도 한때는 세상에 살았던 사람들이오. 우리 역시 그 때는 고민이 많았지.' 라고 말을 거는 것 같았다.

무장을 한 갑옷 속의 기사도 지금 내가 내 마음속에 간직하고 있는 것과 비슷한 비밀을 갖고 있었던 것은 아닐까, 생각했다.

수녀의 가슴에 걸려 있는 빨간 십자가는 지금 내 마음을 잘 보여주는 것 같은 생각이 들었다.

가슴속에서 계속 나를 괴롭히고 있는 것들이 그 빨간 십자가 속에도 있다는 것을 보여주는 것같이 느껴졌다.

하지만 다시 그들은 자신의 높은 자존심을 내세우며, "당신은 우리의 계층이 아니오."라고 말하는 것 같았다.

나는 섬뜩해졌다.

바로 그 때 멀리서 발자국 소리가 들려왔다. 나는 점점 초상화 속으로 빨려 들어가던 내 자신을 추슬렀다.

그 발자국 소리는 그녀를 방문할 때면 늘 문간에서 만나곤 하던 영국 부인의 것이었다.

부인은 나를 빌 표정 없이 바라보너니, 나를 어떤 방으로 안내하고는 거기서 기다리라고 말했다.

나는 그 부인이 혹시 내 마음속을 꿰뚫어 보는 것이 아닌가 하고 은근히 걱정이 되었다.

그러나 부인의 표정은 평온했으며, 나에게 어떤 의심의 눈초리도 보내지 않았다.

다만 부인은 침착한 음성으로 다음과 같이 말했을 뿐이다.

"공녀께서는 오늘 평소 때와는 달리 아주 기분이 좋으십니다. 삼십 분 후쯤에 만나시겠답니다."

수영을 잘하는 사람이라도 먼 바다까지 헤엄쳐 가서 팔이 피곤해지기 시작해서야 비로소 너무 멀리 왔음을 깨닫게 된다.

그 때서야 돌아갈 길이 멀다는 생각을 하면서, 몸을 돌려 왔던 길로 힘겹게 팔을 저어갈 것이다.

하지만 그는 이내 지쳐 먼 바다를 감상하기는커녕 돌아갈 용기조차 잃은 채, 부지런히 팔만을 움직이며 파도를 헤쳐 돌아가기 시작한다.

한 번 두 번 팔을 저을 때마다 어깨에서 힘은 빠져나가고, 그 사실을 안다는 것조차 두려워 인정하고 싶어하지 않는다.

잘못하면 돌아갈 수 없으니까.

그러다가 마침내 기운을 잃고 머리가 혼미해지며 그저 기계적으로 팔 다리를 움직이게 될 것이다.

자기 자신의 몸이 어떠한지 의식하지 못할 때쯤 겨우 그의 발은 땅에 닿게 되고, 손으로 바위를 집게 될 때 비로소 숨을 내쉬게 되는 것이다.

그 때의 내가 그러했다.

내가 혼란스러움과 고통 속에서 나 자신을 진정시키지 못하고 있을 때 하나의 새로운 세계가 나를 맞아준 것이다.

그와 같은 순간은 일생에 있어서 그리 많지 않다.

위기의 상황에서 벗어나 완전하게 위기가 사라지는 그러한 기쁨을 한 번도 느껴 보지 못한 사람들도 많을 것이다.

자기가 낳은 아이를 처음으로 가슴에 안은 어머니, 전쟁터에서 많은 공을 세우고 자랑스럽게 개선하는 아들을 맞아주는 아버지는 그런 기분 을 경험할 것이다.

사람들로부터 열렬한 박수갈채를 받은 시인, 사랑하는 여인으로부터 따스한 악수를 청해 받은 청년들은 꿈이 현실이 된 것 같은 기분을 경 험하게 된다.

삼십 분쯤 지났을 때였다.

하인 하나가 들어와서는 나를 안내하며 어느 방의 문을 열어 주었다.

그 곳엔 황혼의 빛을 뒤로 한 하얀 옷을 입은 사람이 있었다.

그녀였다.

그녀의 머리 위에는 높다란 창문이 걸려 있었고, 그 창을 통해 거뭇 거리는 호수와 안개에 덮여 흐릿한 산들과, 붉게 지는 저녁놀이 보였다.

"사람들은 정말이지 이상하게도 만나는군요."

그녀의 첫인사였다.

그녀는 다른 때와 다름없이 예의 그 맑은 목소리로 나를 반갑게 맞이

하였다.

그녀의 입에서 나오는 한마디 한마디는 뜨거운 여름날을 식혀주는 시원한 빗방울처럼 내려, 나에게 떨어졌다.

나는 말했다.

"이상하게 만나는 수도 있지만 이상하게 헤어지는 수도 있지요."

그리고 나는 그녀의 손을 잡으면서 우리가 다시 만나 이렇게 대화를 나눌 수 있게 되었구나, 같이 있게 되었구나 하는 생각을 했다.

"사람들이 헤어시는 것은 ㄱ 사람들 잘못이에요."

그녀가 말을 이었다.

노랫소리와도 같은 그녀의 목소리 뒤에는 항상 목소리의 울림이 남아 여운을 남겼다.

그것은 마치 그녀의 말에 이은 반주 소리와도 같았다.

"그렇습니다. 물론 맞는 말입니다. 그런데 그것보다 먼저 물어 보고 싶은 것이 있습니다. 몸은 어떠신지요? 그게 제일 궁금하군요. 같이 이야기를 나누어도 괜찮을지 알고 싶습니다."

"그건 말이에요……."

그녀는 미소를 지으며 말했다.

"당신도 아시는 바지만 나는 늘 몸이 아픕니다. 내가 기분이 호전되었다는 것은 병이 나아간다는 걸 뜻하는 것이 아니에요. 그것은 단지 그 늙은 의사를 기쁘게 할 따름이지요. 그 분은 내가 태어나서 지금까지 죽지 않고 살아온 것도 모두가 자신의 의술 때문이라고 믿거든요. 내가 이 곳으로 요양오기 전에 갑자기 몸이 안 좋아져서, 그 늙은 의사는 몹시 놀라고 상심했었어요. 갑자기 내 심장이 멈춰 버렸던 거예요. 그래서 사람들은 이제 내 심장이 다시는 뛰지 않으리라 생각했지요. 아니, 이건 다 지나간 이야기니까 그만두겠어요. 다만, 한 가지

걱정되는 것이 있어요. 나는 늘 건강이 좋지 않았지만, 그래도 내가 이 세상을 하직할 때는 아주 평화롭게, 이 세상에 아무런 미련 없이, 편안하게 눈을 감을 수 있을 거라고 생각했거든요. 그런데 지금에 와서는 그럴 자신이 점점 없어지는군요. 내가 이 세상을 떠날 때 누군가가 나의 길을 방해하지는 않을까, 또 그것 때문에 내 마음이 괴롭지는 않을까 하는 두려움이 생겼어요."

그녀는 자기의 가슴 위로 손을 얹으면서 다시 말을 이었다.

"당신은 그 동안 대체 어디에 있었던 거예요? 왜 제게 편지 한 통도 보내지 않으셨어요? 그 늙은 의사가 너무 많은 것을 당신에게 말해 주었나 보군요. 의사 말을 듣고, 그의 충고에 따라 갑자기 여행을 떠나게 된 건가요?

나는 그 늙은 의사가 말한 여러 가지 이야기들을 믿을 수 없었어요. 당신이 내 곁을 떠난 이유를 말해 주었는데, 도대체 말도 안 되는 얘기였어요. 그게 어떤 건지 한번 맞혀 보시겠어요?"

나는 그녀의 말을 가로막으며 말했다.

"물론 믿을 수 없었겠지요. 그러나 의사가 말한 이야기는 전부 사실이었을 겁니다. 어쨌든 다 지난 일입니다. 이제 와서 다시 꺼낼 필요도 없습니다."

그녀는 다시 나에게 천천히 말했다.

"아니, 그렇지 않아요. 그건 다 지나간 일이 아니에요. 의사가 당신이 여행길에 오른 이유를 내게 말해 주었을 때, 나는 의사도 당신도 모두 이해할 수 없었어요. 나는 평생 누워지내는 환자로, 가련하고 의지할 곳 없는 사람이에요. 그리고 내가 이렇게 아직까지 숨쉬며 살아간다는 건, 결국 죽어 가는 과정의 일부에 지나지 않아요. 만일 신이 나를 진정으로 이해해 준다면, 늙은 의사 말마따나 나를 진실로 사랑하

는 사람을 내게 보내 준다면, 그게 어째서 내 건강에 안 좋으며 나를 혼란스럽게 만들 것이라고 생각하죠? 늙은 의사가 나에게 이러한 이야기를 해 주었을 때, 마침 나는 워즈워드의 시를 읽고 있었지요. 그래서 나는 의사에게 이렇게 말했죠.

'선생님, 우리들은 아주 많은 생각들을 하며 살아가지만 그렇다고 그것들을 다 말하며 살지는 않습니다. 그래서 우리는 말 한마디 한마디에 여러 가지 뜻이 내포되어 있음을 파악하지 않으면 안 됩니다. 만약 나에 대해 잘 모르는 누군가가 나를 사랑하고 있다면, 혹은 내가 누군가를 사랑하고 있다면, 아마 사람들은 그것을 로미오와 줄리엣의 사랑처럼 비극적이라고 생각할지도 모르지요. 결국 선생님도 그렇게 생각하시는 거겠지요. 하지만 선생님, 선생님도 나를 좋아하시고 나역시 선생님을 좋아합니다. 지금까지 우리는 아무 문제 없이 살아오고 있어요. 나는 아직도 실망하지 않고 살아가고 있으며, 또 한 번도 내 자신을 불행하다고 생각해 본 적이 없어요. 선생님, 내 말 좀 들어보세요. 이건 내 생각이겠지만 혹시 선생님이 나를 질투하는 것은 아닌가요? 선생님은 내가 몸이 꽤 괜찮아졌을 때에도 매일 아침 나를 찾아와 상태가 어떠냐고 물어 보시죠. 그리고 정원에서 제일 아름다운 꽃을 한아름 꺾어 오셔서는 나에게 주시잖아요. 또 내 사진도 달라고 하셔서 내가 드렸지요. 그리고⋯⋯. 이런 말은 하지 않는 게 좋을 것 같긴 하지만, 나는 지난 일요일에 선생님이 내 방에 들어오셨다는 걸 알고 있어요. 선생님은 그때 내가 잠자고 있는 줄 아셨겠지만 사실은 그게 아니었어요. 다만 꼼짝할 수 없을 정도로 몸이 안 좋아서 그냥 눈을 감고 누워 있었을 뿐이에요. 그런데 선생님은 나가시지도 않고 내 침대 옆에서 꼼짝 않고 앉아 내 얼굴만 바라보고 계셨죠. 난 다 알고 있었어요. 눈을 감고 있어도 선생님의 눈빛이 내 얼굴에 햇빛처럼 내리꽂히는 것을 느낄 수가 있었거든요. 그러다가 갑자기 선생님의 눈에서 눈물 방울이 한 방울 두 방울 흘러내린다는 것을 깨달았어요. 선생님은 두 손으로 얼굴을 가리고 흐느끼셨지요. 그러면서 나지막한 소리로 '마리아! 마리아!' 하고 부르셨습니다. 선생님, 잘 들으세요. 그 친구는 내가 잠자는 방에 아무 소리도 없이 들어와 나를 바라보며 혼자서 눈물 흘리는 그런 짓은 하지 않았어요. 그 친구는 최소한 선생님하고는 다른 사람이에요. 꽤 괜찮은 사람이에요. 선생님은 왜 그 남자를 내게서 멀리 떼 놓으려 하시는 거예요?'

내가 이렇게 농담 반, 진담 반으로 그 늙은 의사에게 따지고 들자, 그는 몹시도 괴로워하는 얼굴로 나를 바라보았어요. 그 의사는 무슨 죄라도 지은 듯 어린아이처럼 아무 말 없이 부끄러워하면서 침묵만 지켰죠. 그래서 나는 그에게 내가 읽고 있던 워즈워드의 시집을 보여주면서 이렇게 말했어요.

'여기 내가 정말로 좋아하는 한 시인이 있습니다. 이 사람은 내 마음을 잘 알고 있고, 나 역시 그 사람의 마음을 잘 이해할 수가 있어요. 그러나 우리는 지금까지 한 번도 만난 적이 없어요. 물론 앞으로도 영영 만날 수는 없을 거예요. 내가 이 사람의 시 한 편을 선생님에게 읽어 드릴게요. 그러면 선생님도 사람들이 어떻게 사랑을 하며 살아가는지, 말하자면 사랑이란 무엇인지 아시게 될 거예요. 사랑은, 그러니까 이런 거와 같다고 할 수 있어요.

사랑하는 남자가 자기 연인의 머리 위에 조용한 축복을 내려 주고 그대로 행복한 슬픔을 지닌 채 자기 길을 떠나가는 그런 것이에요. 그 남겨진 조용한 축복이 바로 사랑이지요."

이렇게 나는 그에게 워즈워드의 〈고지의 소녀〉를 읽어 드렸어요.

저기, 등불을 좀 이쪽으로 가까이 옮겨 주시겠어요? 당신이 지금 나에게 그 시를 읽어 주었으면 좋겠어요. 나는 그 시를 읽으면 항상 마음이 밝아져요.

마치 조용한 저녁 끝없이 펼쳐지는 저녁놀이 눈 덮인 하얀 산에 사랑과 축복의 손을 내밀고 있는 듯한 느낌을 받거든요.”

그녀의 말이 조용히 내 가슴에 울려오는 것을 듣고 있으려니 나 역시도 엄숙해지는 것 같았다.

어느덧 거센 폭풍은 사라졌다.

고요한 은빛의 달이 비치는 것처럼 그렇게 조용히 내 사랑은 두둥실 물결 위를 떠갔다.

생각해 보건대, 사랑의 물결은 흘러 흘러 인류의 물결과 함께 합쳐지게 되며 그것은 사람의 가슴속을 꿰뚫고 지나간다.

사람들은 그 물결이 각자 다 자기 개인의 것이라고 말하고 있다.

그러나 그것은 모든 인류의 맥을 이어가는, 모든 인류를 이어주는 맥박에 지나지 않는 것이다.

나는 우리 눈앞에 펼쳐진 대자연과도 같이, 그리고 조용히 어둠이 내리는 저녁과도 같이 그렇게 아무 말 없이 침묵을 지키고 있었다.

그러다가 그녀가 내민 시집을 받아 들고는 그 시를 읽어 내려갔다.

고지의 소녀(Highland girl)

그대, 사랑스런 고지의 소녀여
그대가 이 세상에서 간직한 보물은
청초한 아름다움이어라.
그대의 머리 위에는
일곱을 갑절한 수만큼의 새로운 봄이 흘러가고

거기에는 아름답고 귀중한 화관이 선물로 내려졌도다.
이 곳 회색의 바위,
저 곳엔 휴식의 풀밭,
저기, 저 나무들은 반쯤 드리운 베일,
살랑이는 물결은 고요한 호숫가에서 흐르고
폭포, 고요한 호수 가까이 있어
소곤소곤 속삭이는 듯하여라.
조그마한 시냇물과 조용한 오솔길은
그대의 조촐한 안식처를 보호한다.
아, 그것은 아름다운 꿈이
마술처럼 아름답게 수놓여진 것인가.
비밀스럽게 생겨난 것들인가.
이 세상의 근심과 걱정은 잠든 사이에
남몰래 빚어진 것인가.
일상 생활 속에서도
환상처럼 밝고 깨끗하게 빛나는 아름다운 소녀여!
그대, 고요한 시간의 덧없는 환상이여,
그대에게 나는 마음 깊은 곳에서 우러나오는 축복을 보내노라.
그대가 이 세상을 떠날 때까지
신의 가호가 그대에게 넘쳐나기를.
나는 그대를 알지 못하며,
그대를 아는 어느 누구도 모르노라.
그러나 보라, 나의 눈에 눈물이 가득 넘치고 있음을.

내가 그대와 멀리 떨어져 있을 날,

나 진심으로 그대를 위해 따뜻하고 진실되게 기도하리!
그대의 얼굴처럼 맑고 깨끗한 모습,
천진난만한 마음의 꽃이
풍요하게 피어난 얼굴을
나는 알지 못하기 때문이리.
그대는 바람에 불리어 간 한갓 씨앗과 같이
멀리 마음을 떠나서 사는 몸이니
다른 처녀들처럼 수줍어하거나
두려워하는 것을 배울 필요는 없다.
그대의 밝은 이마에는
산 속에 사는 사람의 기품 깃들었고
자유의 기백이 풍부하게 깃들어 있나니,
기쁨이 가득 찬 그대의 행복한 얼굴
소박한 사람의 미소가 엿보인다.
사람에게 고개 숙일 줄 아는 겸손함마저
그대는 몸에 간직하고 있나니,
아름답게 참아온 속박이여
말 못할 안타까움이 되어
초조한 빛을 숨길 길 없어라.
기꺼이 견디어 낸 속박이여! 아름다운 노력이여!
그것은 그대에게 우아함과 생명을 준다.
몰아치는 바람 속에서 날아다니는 새들이
세찬 폭풍과 헛되이 싸우는 것을 볼 때
나는 그와 같은 마음속 감동을 일으키지 않을 수 없노라.

그렇게도 아름답고 순결한 그대에게
꽃의 화관을 바치려 하지 않는 손이 어디 있으랴.
오, 아름다운 행복이여!
나는 목동이 되고 그대는 목녀가 되어
꽃향기 퍼지는 골짜기에 그대와 더불어 살면서
같은 공기를 마시고 같은 행동을 하며
그대와 더불어 같은 뜻을 이룬다면
그 얼마나 아름다운 행복이랴!
그러나 내 가슴에는 한 가지 소원이 있어
그것이 나를 엄연한 현실로 이끌어 가누나.
그대는 지금 내게 있어
사납게 물결치는 바다의
일시적인 변덕에 불과하나니
나는 그대를, 그 이상을 바라노라.
그러나 나, 그대에게로 향하는 마음 누를 길 없으니
그저 그대와 어떠한 연관이라도 맺고 싶어라.
아무 이웃 사람에게나 베풀어 줄 수 있는 관심이라도 좋으니
그대를 보고, 그대의 목소리를 듣는다면 더 없는 기쁨이리라.
그대의 오빠든 아버지든 나, 그대를 위해
이 세상의 무엇이든 다 되어 주리라.

나를 이 골짜기로 향하게 하신
은총 가득한 하늘의 고마움이여,
그지없는 기쁨과, 풍성한 보답을 받고
나는 이 조용한 장소를 떠나노라.

여기서 추억의 소중함을 이해하고
추억은 또한 영원을 바라보는 눈을 가지고 있음을 배우나니
어찌 이별을 슬퍼하랴.
생각건대 이 땅이 소녀의 거처로 정해진 것은
지나간 행복과 새로운 행복으로
오래오래 소녀를 축복하고자 하는 하늘의 뜻이리라.
그러면 사랑스러운 고지의 소녀여!
나는 이제 마음이 흡족하여
아무런 여한 없이 그대와 이별하리라.
이제 내가 나이 먹어 늙은 어느 날에 이를지라도
이 푸른 초록 속에 파묻힌 자그마한 집이나
저기 호수나 시냇물이나 물방울 튀는 폭포나
그 모든 것에 깃든 그대의 아름다운 영혼이나
오늘처럼 아름답게
바라볼 수 있을 것이므로!

나는 〈고지의 소녀〉를 그녀에게 다 읽어 주었다.

이 시는 내가 불과 얼마 전까지만 해도 산을 헤매며 돌아다니다 만난 샘물과도 같았다.

커다란 나뭇잎을 물잔 삼아 그것으로 물을 떠 목을 축인 그 차가운 샘물과도 같은 느낌을 주었다.

내가 이러한 기분에 젖어 들었을 때, 그녀의 부드러운 목소리가 나를 깨웠다.

마치 교회 안에서 꿈꾸듯 자기의 기도에 몰두해 있던 사람이 오르간 연주 소리에 퍼뜩 깨어나는 것처럼 말이다.

그녀는 내게 말했다.

"나는 이 시 속의 사람이 고지의 소녀를 대하듯, 당신이 그렇게 나를 사랑해 주길 바라요. 그 늙은 의사도 아마 그런 마음으로 나를 사랑하고 있는 걸 거예요. 그렇게 해서 우리 모두가 서로서로 마음을 다해 사랑을 하고, 서로서로를 믿고 싶은 게 아닐까요? 물론 이 세상에 대해서 내가 아는 것이라곤 그리 많지 않아요. 하지만 사람들은 〈고지의 소녀〉 속에 나오는 그와 같은 사랑에 대해서는 이해하지 못하는 것 같아요. 우리는 얼마든지 행복하게 살아갈 수가 있잖아요? 그런데 사람들은 이 세상을 왜 이렇게 우울하고 슬픔 가득한 곳으로 만들어 놓는지 모르겠어요. 아마 옛날에는 그렇지 않았을 거예요. 호메로스가 자신의 작품 〈오디세우스〉에서 그렇게도 사랑스럽고 건강하고 우아하기까지 한 나우시카를 칭찬했던 것만 봐도 알 수 있어요. 나우시카는 오디세우스를 보고 첫눈에 반해 버렸지요. 그녀는 시종에게 자신의 감정을 솔직히 말하는 데 망설이지 않았어요.

'난 늘 저와 같은 분을 기다려 왔어. 저런 분이 내 사랑을 받아 주고, 내 남편이 되어 주었으면 하고 바랐지. 이 곳이 마음에 들어서 나와 함께 여기에 머물러 계신다면 얼마나 좋을까.'

그러면서 그녀는 그를 아버지가 계신 궁궐로 안내하고자 했을 때 숲이 끝나는 길까지만 같이 걸었지요. 궁궐을 가려면 시내를 통과해서 가야 했어요. 시내를 통과하면서 많은 사람들이 자신과 오디세우스가 동행하는 것을 본다고 생각하니까 부끄러웠어요. 그래서 솔직히 그에게 말했지요.

'만약 내가 당신처럼 훌륭한 남자를 모시고 궁전으로 가면 아마 사람들은 내가 남편감을 데리고 왔다고 수군거릴 거예요. 그러니 여기서부터는 혼자 오세요.'

이 얼마나 솔직하고 정직한 자신의 감정 표현인가요. 정말 자연스러운 태도예요. 그런데 오디세우스가 부인과 자식이 있는 고국으로 돌아가겠다고 말했을 때, 그녀는 한 마디의 푸념도 하지 않았어요. 그냥 조용히 자신의 모습을 감추었을 뿐이죠. 아마 그녀는 그 훌륭하고 멋있는 남자의 모습을 가슴속에 조용히 간직하며 살았으리라 생각돼요. 하지만 요즘 시인들은 이런 사랑에 대해 알지 못하는 것 같아요. 그와 같이 즐겁고도 정직한 고백이라든지, 조용한 작별에 대해서 알지 못하는 것 같아요. 괴테는 이 나우시카로부터 아주 여성적인 샤를로테라는 인물을 만들어 냈어요. 우리에게 있어서 사랑이란, 우스꽝스러운 결혼을 약속하거나 비극적으로 끝나버리고 말 결혼의 서곡에 불과할 뿐이에요. 사랑이라는 것을 꼭 결혼과 관련지어 생각해야만 하는 건가요? 왜 우리는 그런 사랑 말고 좀더 다른 종류의 사랑에 대해서는 생각할 수 없죠? 순수한 행복의 샘물은 영영 말라붙고 만 건가요? 사람들은 그저 마시면 취하는, 그저 앞뒤 분간 없는 사랑과 자기 욕심의 술잔만을 알고 있을 뿐이지요. 산뜻한 기운을 북돋워 주는 진실한 사랑의 샘물에 대해선 알지 못하고 있어요."

이 말을 듣자 나는 문득 그 영국 시인이 다음과 같이 탄식했던 노래가 생각났다.

> 만약 이 믿음이 하늘로부터 내려온 것이라면
> 만약 이것이 자연스럽고 성스러운 계획이었다면
> 내 어찌 한탄할 이유를 가지겠는가.
> 사람들이 인간을 어떻게
> 만들어 놓았는가 하고.

그녀가 말을 계속하였다.

"시인은 정말 행복할 거예요. 시인이 표현하는 말은, 말없이 살아가는 수많은 사람들의 가슴 깊은 곳에 있는 감정을 하나의 형태로 나타내 주잖아요. 또 시인이 부르는 노래 하나하나가 얼마나 많은 사람들의 마음속 비밀이 되어 주었는가를 생각하면 말이에요. 시인의 심장은 부자나 가난한 자나 가리지 않고 똑같이 그들 가슴속에서 고동치고 있어요. 행복한 사람들은 그 시인과 함께 노래부르고, 슬픔에 잠긴 사람들도 그와 함께 눈물을 흘리잖아요. 많은 시인들이 있지만 저는 워즈워드가 제일 좋아요. 내 친구들은 그 사람의 시를 좋아하지 않아요. 그를 좋아하지 않는 사람들 중에는 그가 시인이 아니라고까지 말하는 사람도 있어요. 그것은 워즈워드가 그럴 듯한 시적 표현이나, 허황된 시적 감동을 표현하기 위해 휘황찬란한 단어를 쓰지 않기 때문이죠. 하지만 나는 그 점이 제일 마음에 들어요. 그 사람은 화려한 시적 단어 대신 그저 진실을 나타내고 보여 주고 이야기하고자 할 뿐이니까요. 다른 어떤 것보다도 그것이 제일 중요한 것 아니겠어요? 그는 우리들의 눈을 뜨게 해 주지요. 그러니까 들에 피어 있는 그 흔한 들국화가 우리 발치에서 아무렇게나 나뒹굴고 있는 것에서도, 아름다움을 발견하고 우리들에게 그 아름다움을 선물하지요. 그는 모든 사물을 그 본래부터 타고난 진실된 이름으로 부릅니다. 그는 누구를 깜짝 놀라게 한다든지, 현혹시킨다든지 하지 않아요. 그리고 사람들한테 칭송받으려고 하지도 않습니다. 그는 사람의 손에 꺾여지거나 굽혀지거나 하지 않은 것이 얼마나 아름다운가를 우리에게 보여주려 할 뿐이죠. 풀잎에 맺힌 이슬방울이 손가락에 낀 진주 반지보다도 못한 것이라고 그 누가 말할 수 있나요? 그 근원을 알 순 없지만 어디선가부터 졸졸 흐르는 시냇물이 베르사유 궁전에 있는 분수보다 더 아름답지 않은가요? 나는 워즈워드의 고지의 소녀가 괴테의 파우스트에 나오는 그리스 미녀 헬레나나, 바이런의 돈 주앙에 나오는 하이디보다 훨씬 진실되고 아름다워 보여요. 거기에 나타난 그의 언어와 생각의 순수함을 보세요. 정말이지 우리 나라에 일찍이 그와 같은 시인이 없었다는 것이 참으로 부끄러울 따름이에요. 만약 실러가 고대 그리스나 로마 사람들에게 의지하지 않고 오히려 자기 자신의 생각과 실력을 믿고 좀더 많은 시를 썼더라면, 그는 워즈워드와 같은 시인이 됐을지도 몰라요. 리케르트 또한, 조국을 등지고 동방의 장미에서 위안을 찾지 않았더라면 그는 아마 워즈워드와 가장 가까운 시인이 되었을 거예요. 정말이지 남에게 의지하지 않고 자기 자신을 확실하게 믿으며, 참된 자기를 살려 나갈 용기 있는 시인은 좀처럼 찾아볼 수가 없어요. 워즈워드는 그와 같은 용기를 가진 사람이에요. 사람들은 훌륭한 사람들이 하는 말에는 주의를 기울이며 듣지요. 그들이 위대하지 않았을 때, 그러니까 그들이 사상을 키워 나가며 아직 마음의 문이 열리지 않았을 때 썼던 시에도 귀를 기울이지요. 난 워즈워드가 한 말이라면 무조건 다 좋아요. 그의 시가 지극히 평범한 것을 노래한다 할지라도 그냥 다 좋아요. 위대한 시인은 침착성을 잃지 않는 법이니까요. 호메로스의 시만 해도 그래요. 별로 아름답지도 않은 시구가 100행 이상이나 계속되는 곳도 있어요. 단테 역시 마찬가지예요. 하지만 핀다로스의 경우는 좀 달라요. 그 시인은 많은 사람들에게 찬탄을 받고 있지만 나는 오히려 그 사람의 화려한 단어들, 시행들에서 알 수 없는 절망을 느끼죠. 아, 나는 어떠한 희생을 치르고서라도 워즈워드가 살았던 지방, 호수가 있는 그 지방에서 한 여름을 보내고 싶어요. 그리고 그와 함께 그가 시 속에서 노래불렀던 장소를 일일이 한곳 한곳 찾아다니고 싶어요. 그가 누군가의 도끼에 찍혀 베어질 뻔했던 나무를 구해 준 것에 감사의 말을 하고 싶을 정도예요. 정말 한 번이라도 좋으니, 그가 읊었던 저녁, 해질녘의 경치를 그와 함께 바라보았으면 좋겠어요. 이건 좀 다른 얘기지만, 아마 그런 경치를 그릴 수 있는 화가는 터너 외에는 없을 거예요."

그녀의 말투는 다른 사람과는 조금 다른 구석이 있다.

보통 사람이 말하는 것과는 다르게 말의 끝이 내려가는 것이 아니라 오히려 올라가기 때문이다.

항상 상대방에게 물어 보는 듯한 말투로 말을 끝맺는 그녀의 말투는 정말 아주 독특한 것이었다.

그녀는 언제나 상대방을 위로 올려다보며 진지하게 말을 했다.

잘못 생각하면, 상대방을 무시하는 듯이 보일 수도 있는, 내려다보면서 말을 한 적이 없었다.

그녀의 말투는 언제나 어린아이가 그의 아버지에게 '그렇죠, 아버지?' 하고 물을 때와 같았다.

그러한 그녀의 말투에는 자기 말에 동의해 달라는 듯한 분위기가 배어 있어 그 말에 반대하기란 여간 어려운 일이 아니었다.

"워즈워드는."

내가 말을 이었다.

"나 역시 좋아하는 시인 중의 한 사람입니다. 그리고 시인이라는 신분을 떠나 한 사람의 인간으로 나는 아주 그를 좋아합니다. 그다지 힘들이지 않고 올라간 자그마한 뒷동산에서, 오히려 죽을 고생을 해가며 올라간 높다란 몽블랑에서보다 더 아름답고 풍요로운 경치를 볼 때가 있습니다. 워즈워드의 시에도 그러한 점이 있는 것 같습니다. 처음에는 그의 시가 너무나 시시하고 평범하여 읽다가 멈추고는 가끔 생각해 봅니다. 어째서 영국의 배웠다는 사람들은 그에 대해서 그다지도 떠들썩하게 칭찬을 하는 것일까, 하고 말입니다. 그러나 내겐 이런 확신이 있어요. 그것은 어떠한 언어를 사용하는 시인이든 간에 그 나라 국민이, 또 높은 지성을 갖춘 그 나라 귀족층이 그를 시인으로 인정한다면 그의 시는 우리에게서도 역시 같은 시인이라는 확신이지요.

지식층이나 귀족층이 그의 시를 좋은 시라 인정하는 것에는 분명히 이유가 있을 테니까요. 찬미하는 것도 우리가 배워야 할 하나의 덕이며 예술입니다. 많은 독일 사람들은 프랑스의 작가인 장 라신이 마음에 들지 않는다고 말하죠. 영국 사람들은 독일의 괴테를 도무지 이해할 수 없다고 합니다. 프랑스 사람들은 셰익스피어가 일개 농사꾼에 불과하다며 떠들지만 그게 도대체 어떻다는 겁니까? 그것은 이를테면 어린아이가 베토벤의 교향곡보다 요한 슈트라우스의 왈츠가 더 좋다고 말하는 거나 똑같은 겁니다. 그것은 곧 각자의 기호나 취향에 지나지 않지요. 내가 좋아하는 이 사람은 훌륭하고, 내가 별로 좋아하지 않는 저 사람은 시인도 작가도 아니다라고 말하는 거나 똑같은 거지요. 각 나라의 국민들은 자기 나라의 예술가들을 사랑합니다. 그들이 해야 할 일은, 자기들이 좋아하는 예술가들이 도대체 어떠한 장점과 미덕이 있는지를 찾아내고 널리 알리는 것입니다. 그 예술가들을 이해하는 것도 하나의 예술입니다. 그것을 이해하고자 노력하는 사람은 결국 아름다움을 발견하게 되는 법이지요. 페르시아 사람이라면 하피즈에게서 만족하고, 인도인이라면 칼리다사에게서 만족하면서 어느 정도 자기 민족에 대한 만족을 얻고 있는 것입니다. 우리는 위대한 사람에 대해 한꺼번에 알 수는 없습니다. 그렇게 하려면 그 사람이 가진 예술과 재능을 똑바로 볼 수 있는 용기와 다른 사람들의 생각에 휘둘리지 않을 인내가 필요하지요. 그리고 우리가 생각해야 할 것은 이상하게도 첫눈에 마음에 든 것은 그리 오래 가지 않는다는 것입니다."

"그렇지만……."

그녀가 내 말을 중단시켰다.

"이 세상의 모든 위대한 시인이나 예술가, 또는 영웅들에게는 그들이 페르시아 인이건 인도인이건, 기독교 신자이건 아니건, 로마 민족이건 게르만 민족이건 어떠한 공통점이 있는 법이에요. 그걸 어떻게 표현해야 좋을지는 모르겠지만 하여간 그들에겐 무한한 것, 까마득히 영원한 것을 꿰뚫어 보는 눈이 있지요. 작고 보잘것 없는, 그리고 허무한 것을 신적인 무엇으로 만드는 힘이 그들에게 있지요. 위대한 시인 괴테는 '하늘에서 내려온 달콤한 평화'에 대해서 알고 있었어요. 그는 다음과 같이 노래했죠.

모든 산봉우리마다
평화로운 안식이 깃들어 있고
나뭇가지 끝에
스치는 바람조차 없네.
숲 속에 있는 새들은
저마다 곤히 잠들어 있네.
잠시 기다려 보라.
그대도 곧 안식을 누리게 되리니.

이 시를 읽고 있으면 마치 커다란 전나무의 가지 끝에서 그 넓이를 알 수 없는 무한한 공간이 열리는 것 같아요. 이 세상에서는 존재하지 않는, 그래서 찾을 수 없는 어떤 안식이 거기서 느껴지는 것 같아요. 워즈워드의 시에도 항상 그와 같은 오묘한 자연적인 배경이 갖추어져 있지요. 그를 조롱하는 사람들이 뭐라고 말을 하든지 간에 그의 시에는 인간의 마음을 강하게 끌어당기는 힘이 있어요. 그의 시를 읽고 깊이 감동하게 되는 것은 이 지상의 세계를 넘어선 영원한 그 무엇이 있기 때문입니다. 이 지상의, 현실적인 아름다움을 노래했기에 그것을 잘 표현할 수 있었던 거예요. 그의 시 〈소네트〉는 잘 알고 계시죠?"

소 네 트

아름다움은 나를 몰아서 하늘로 향하게 하네.
아름다움 외에는 나의 마음을 사로잡는 것이 아무것도 없다오.
그래서 나는 산 채로 영혼의 마당에 들어선다네.
인간의 몸으로 태어나
그와 같은 영광을 얻는 자는 별로 없다.

작품 속에 창조주가 계시나니
나는 그를 통하여 시의 영감을 얻고 그에게 다가가노라.
그 곳에서 내가 만드는 것은
아름다움에 취한 내 마음이 보여주는 온갖 생각이라네.

아름다움에 빠진 내가 거기에서 빠져나오지 못함은
신의 앞마당으로 가는 길을 비추어 주는
거룩한 빛이 그 눈 속에 들어 있기 때문이로다.

빛나는 그 눈에 나의 가슴이 불타오를 때
나의 고귀한 불꽃 속에는
천국을 거니는 기쁨이
다정하게 그림자를 비추어 오네.

그녀는 말을 많이 했기 때문인지 몹시 피곤해 보였다.

그리고 입을 다물고 조용히 앉아 있었다.

그녀의 피곤한 모습을 보고 있던 나는 그 침묵을 깨뜨릴 만한 어떠한 용기도 나지 않았다.

사람들이 속마음을 털어놓고 얘기를 충분히 나눈 다음, 흡족해하면서 조용히 입을 다물고 있을 때, 우리는 그것을 천사가 방 안을 날고 있다고 표현한다.

나는 평화와 사랑이라는 이름의 천사가 그 여린 날갯짓으로 우리의 머리 위를 날고 있음을 어렴풋이 느낄 수가 있었다.

다만 내 손 안에 쥐어져 있는 그녀의 하얀 손만이 그녀가 내 곁에 살아 있는, 현실 세계의 사람임을 느끼게 해 주었다.

그 때 갑자기 창밖에서 쏘는 듯한 한 줄기 광선이 그녀의 얼굴을 비추었다.

그녀는 그 빛을 느끼고는 놀란 듯이 눈을 크게 뜨면서 나를 바라보더니 눈을 살짝 감아 버렸다.

반쯤 감겨진 속눈썹이 그녀의 눈동자를 면사포처럼 덮고 있어서 더욱 더 그녀를 신비롭게 보이게 했다.

나는 이내 밝은 달빛이 두 개의 언덕 사이에서 성 쪽으로 떠올라 호수와 마을을 부드럽게 비추고 있는 것을 깨달았다.

나는 자연이, 어두운 밤하늘에서 둥실 떠오르는 달이 그렇게 아름다

운 것인 줄은 그 때까지 미처 알지 못했다.

또한 그녀의 얼굴이 그렇게까지 아름다운지도 그 날 처음 알았다.

그리고 이런 행복하고 조용한 평화가 내 마음에 흘러든 적도 없었다.

"마리아."

나는 조용히 그녀의 이름을 불렀다.

"이렇게 깨끗하고 아름다운 순간에, 지금 이대로의 모습 그대로 당신에게 고백하도록 해 주십시오. 지금 우리는 서로를 현실에 존재하지 않는 것처럼 느끼고 있습니다. 우리 둘의 영혼이 이 지상에서, 이 현실 세계에서 두 번 다시 헤어지는 일이 없도록 맺어지게 해 주십시오. 마리아, 나는 당신을 사랑합니다. 마리아, 당신은 나의 것입니다. 왜냐하면 나 역시 당신의 것이기 때문입니다."

나는 의자에서 미끄러져 내려가 그녀 앞에 차분히 무릎을 꿇고 앉았지만 감히 그녀를 똑바로 쳐다볼 수는 없었다.

나는 그녀의 손에 입술을 대고 가볍게 입맞춤을 했다.

그녀는 잠시 내게 잡힌 손을 어쩌지 못하고 머뭇거리다가 재빨리 손을 뺐다.

그녀의 눈을 바라보니 고통스러움으로 힘겨워하고 있었다.

그녀는 한참동안 입을 열지 않았다. 그러다 잠시 후 깊은 한숨을 내쉬더니 몸을 일으키면서 말했다.

"오늘은 이만 쉬고 싶군요. 당신은 제게 고통을 주었습니다. 그러나 그건 당신 잘못이 아닙니다. 내 죄지요. 창문을 좀 닫아 주세요. 모르는 사람이 나를 만진 것은 아닌데 온몸이 떨려 오네요. 이렇게 계속해서 내 옆에 머물러 주세요. 하지만 그래서는 안 되겠지요. 그냥 돌아가시는 게 낫겠어요. 자, 이만 가 보세요. 하느님의 평화가 우리 두 사람 모두에게 머무르기를 기도해 주세요. 그럼 다시 만나요. 내일 저녁에 당신을 기다릴게요."

아, 천국과도 같던 행복한 평화가 갑자기 어디로 날아가 버린 것일까.

나는 그녀가 괴로워하는 것을 보고 말았다.

나는 내 고백을 듣고는 너무나도 힘들어하는 그녀의 얼굴을 보면서 마음이 무거워 잠시 고통스러웠다.

차라리 고백하지 않았더라면 그녀가 고통받지는 않을 텐데, 라는 생각을 잠시 했지만 이미 엎질러진 물이었다.

내가 그녀를 위해 할 수 있는 일은 열려진 창문을 닫아 주고 조용히 그 자리를 떠나는 것이었다.

나는 곧 영국 부인을 불렀다.

그리고 어두운 밤길을 고독하게 혼자서 걸어 나왔다.

머릿속은 그녀 생각으로 가득 차 나 자신이 어디로 가는지도, 왜 가는지도 모른 채 무작정 걸었다.

나는 곧바로 마을로 향하지 않고 성 밖의 그 호수 주변을 돌며 이리저리 방황하였다.

호숫가 주변을 돌며, 나는 오래도록 그녀와 내가 대화를 나누었던 그 방의 창을 바라보았다.

얼마간의 시간이 흐르자, 그 방의 불빛은 꺼졌고 결국 성에 남은 마지막 등불마저 꺼져 버렸다.

달은 점점 더 높이 떠올라 모든 첨탑과 창문과 낡은 성의 벽에 장식된 조각품들을 비추고 있었다.

그것은 마치 마술을 부리듯 신비롭게 보였다.

나는 그녀가 잠든 성 밖의 호숫가 주변을 맴돌며, 적막하고 외로운 밤의 세계 속에 홀로 서 있는 것이다.

그 때의 내 머리는 평상시의 모든 활동을 거부하는 것 같았다.

그녀 생각으로 가득 차, 어떠한 생각도 떠오르지 않았고, 그녀가 고통스러워하던 표정을 떠올리면서 아무런 결론을 내릴 수 없었다.

다만 이 넓은 세상에 나 홀로 외톨이요, 아무도 나를 상대해 주지 않는다는 느낌뿐이었다.

내가 서 있는 이 지구는 죽어버린 싸늘한 시체를 보관하는 기다란 관이요, 어두운 밤하늘은 그 관을 덮는 뚜껑 같았다.

나는 지금 내가 살아 있는 것인지 죽은 것인지 아무 느낌도 없었다.

나는 문득 하늘을 올려다보았다.

하늘엔 조용히 자기에게 주어진 길을 따라 돌고 있는 행성이 있었다.

나는 그 별들을 바라보면서 저 별은 밤이 되면 그저 인간을 비추어 주고, 인간에게 위안을 주기 위해 저 곳에서 빛나고 있다는 생각이 들었다.

그리고 갑자기 하늘에 떠 있는 두 개의 별에 대하여 생각했다.

그 순간 감사의 기도가 나도 모르게 내 가슴속으로부터 새어 나왔다.

내 천사의 사랑에 대한 감사의 기도가⋯⋯.

마지막 추억

내가 잠에서 깨어났을 때, 태양은 벌써 산 위로 높이 떠올라 나의 창문을 환하게 비추고 있었다.

이 태양이 어제의 그 태양이란 말인가.

친구와의 이별을 아쉬워하는 사람처럼 머뭇거리며 그녀와 나의 영혼이 결합하는 것을 지켜보던 그 태양이란 말인가?

또 사라져 가는 희망과도 같이 저 서산 너머로 훌쩍 넘어가 버렸던 그 태양이란 말인가?

그런데 어째서 지금은 아무것도 모르는 어린아이처럼 맑은 눈망울을 굴리며 내 방으로 뛰어드는가?

그리하여 아무 근심 걱정 없는 천진한 얼굴로 나를 대하고 있는가?

나 역시 그 태양과 마찬가지다.

태양이 다시 뜨기 몇 시간 전만 해도, 불과 몇 시간 전만 하더라도 정신적으로 그리고 육체적으로 괴로웠다.

고통스러운 마음으로 몸을 침대에 내던졌던 어젯밤의 나와 지금의 내가 같은 사람이란 말인가?

그런데 지금은 이렇게 다시 눈을 뜨고 태양의 축복을 온몸으로 받아들이며 생활에 대한 의욕을 갖고 있다.

아침이 되자, 신과 나 자신에 대한 믿음을 되찾고 신선한 아침 공기와도 같이 기운을 차리고 있는 것이다.

아, 만약 인간에게 잠이라는 것이 없다면 어찌 되었을까?

우리는 밤이라는 이름의 전령이 정녕 우리를 어디로 데리고 가는지 알지 못한 채 잠이 드는 것이다.

우리가 잠든 사이 그가 찾아와서 다음 날 우리의 눈을 뜨게 해 준다는 것을 믿을 수 있는가?

그러니까 우리를 어제의 우리처럼, 우리 자신으로 되돌려 줄 수 있을지 누가 보증해 줄 것인가?

이 낯선 자, 밤의 전령에게 몸을 맡긴다는 것은 아마 대단한 용기와 신뢰가 필요할 것이다.

만약 우리가 무엇인가에 의지하는 본성을 타고났다면, 아마 분명 우리 인간은 누구에겐가 의지하는 본성을 타고났을 것이다.

그런 본성이 있어서, 우리가 믿어야 한다고 생각하는 모든 일들을 믿고, 그것에 기꺼이 몸을 맡기지 않는다면 우리는 잠들 수 없다.

아무리 피곤하다 할지라도 의지할 수 있는 것이 없다면, 잠을 자기 위해 눈을 감지는 않을 것이다.

우리들에게 다음 날이 있는지 없는지 분명히 알 수도 없는데, 어떻게 꿈나라로 발을 들여놓겠는가.

우리들 자신이 약하다는 걸 알고 우리에게 필요한 것이 무엇인지에 대한 깨달음이 보다 높은 곳에 있는 힘을 믿게 해 준다.

그래서 우리 인간은, 우리의 모든 것을 지배하는 우주의 아름다운 질서에 기꺼이 복종하게 된다.

그렇기 때문에 우리는 잠을 깨든지 자고 있든지 간에, 아주 짧은 시간일망정 우리의 자아가 강해지는 것을 느낀다.

깨어 있을 때, 자신을 묶고 있던 이 지상의 모든 쇠사슬을 잠시라도 끊게 될 때 다시 기운을 회복하게 되는 것이다.

어제 저녁, 앞을 보기 어렵게 만들었던 안개처럼 내 머릿속을 몽롱하게 했던 생각들이 지금에 와서는 아주 선명해졌다.

나는 느낄 수 있다.

우리 둘은 서로에게 속해 있다는 것을…….

설령 그것이 오빠와 동생의 사이든, 아니면 아버지와 딸 사이든, 혹은 신랑 신부의 사이든 간에 우리는 이제 영원히 합쳐져 있지 않으면 안 된다.

다만…….

우리가 더듬거리며 '사랑' 이라고 부르는 것에 대한 진실만을 발견하면 되는 것이다.

그대의 오빠든 아버지든
나, 그대를 위해

이 세상의 무엇이든 되어 주리라.

'무엇이든'에 대한 올바른 해석은 과연 어떤 것일까?

올바른 해답은 무엇이고 올바른 판단은 무엇일까?

그 이름의 실체를 발견하는 것이 우리에게는 필요했다.

이 세상은 절대로 이름 없는 것들을 인정해 주지 않기 때문이다.

그녀 스스로 내게 말하지 않았던가, 나를 사랑한다고.

모든 사랑의 기본인 그 순수하고 전 인류적인 사랑으로써 나를 사랑한다고.

그러나 내가 그녀에 대한 내 넘쳐나는 사랑을 고백했을 때, 난 그녀를 좀 이해하기 어려웠다.

놀라워했던 그녀의 얼굴과 동시에 괴로운 표정을 지은 것을 난 지금까지도 납득할 수 없다.

그렇다고 해서 그만한 일 가지고 우리의 사랑에 대한 나의 믿음이 흔들리는 것은 아니다.

인간의 마음속에 순간적으로 생겼다 사라지곤 하는 감정 하나하나를 모두 이해할 필요는 없기 때문이다.

우리는 때로 우리 자신의 마음속에서 일어나는 변화조차 이해하지 못하고 있지 않은가.

자연에서 생기는 일이나, 인간에게 일어나는 일이나, 혹은 우리 마음속에서 일어나는 움직임은 모두 똑같다.

그것을 모두 선명하게 설명할 수는 없는 것이다.

하지만, 알 수 없는 무엇인가에 끌리듯이 설명할 수 없는 것에 우리의 마음이 가장 많이 이끌리는 법 아닌가.

오히려 우리가 잘 이해할 수 있고, 또 그 내부가 전부 파헤쳐져 선명하게 보이는 것에는 별로 매력을 느끼지 못한다.

속이 훤히 들여다보이는 사람은, 많은 소설 속의 인물과 마찬가지로 우리를 끌어당길 만한 힘이 없다.

일상 생활에 있어서나 모든 인간들에게 있어서나 우리들의 흥을 깨는 것은, 모든 것을 설명하려 드는 것이다.

그것은 마음속에 있어 겉으로는 잘 보이지 않는 어떤 신비로움을 인정하지 않으려는 윤리적인 합리주의다.

생명이 없는 작은 물건에서조차 우리가 해결할 수 없는 어떤 불가사의한 것이 존재한다.

하물며 인간을 말해서 무엇하랴. 우리는 그것을 운명이라 부르기도 하고 영감이라 부르기도 하며, 또한 성격이라 부르기도 한다.

모든 상황에서 발생할 수 있는 어떤 필연적인 요소를 인정하지 않고, 인간의 행동 하나하나를 완전히 분류해 낼 수 있다고 생각하는 사람이 있다.

하지만 그 사람은 자기 자신에 대해서조차도 정확히 알지 못하는 사람이며, 나아가 인간이라는 존재 자체를 이해하지 못하는 사람이다.

나는 이제, 어제 저녁 절망했던 모든 감정에서 빠져나와 그 날을 살아가기 위한 새로운 위안을 얻었다.

그리고 현재는 어두운 구름일지라도 그것이 미래에도 마냥 하늘을 흐리게 만들지는 않으리라는 것을 깨달았다.

그러한 생각으로 내가 밖으로 막 나왔을 때였다.

한 심부름꾼이 내게 편지 한 장을 가지고 왔다.

그것은 마리아 공녀에게서 온 편지였다.

예쁘고 얌전한 글씨체로 보아 그것을 알아보기란 그리 어렵지 않았다.

나는 즉시 편지를 뜯었다.

내 마음은 부풀 대로 부풀어서 인간이 바랄 수 있는 지상 최대의 행복한 일을 상상했다.

편지의 내용이 어떻든지 간에 처음에는 그랬지만, 점점 편지를 읽어 가던 나는 하늘이 무너지는 것 같았다.

아, 기대는 곧 무너졌다.

고향에서 손님이 오기로 되어 있기 때문에 오늘 방문을 취소해 달라는 부탁의 내용만이 씌어져 있었다.

사랑스런 말이나, 어젯밤의 대화를 생각할 수 있는 그 어떤 내용도 없이 그냥 용건만 간단하게 적은 편지였다.

하루하루 달라지는 것 같은 그녀의 건강에 대해서도 이렇다 할 아무런 얘기가 적혀 있지 않았다.

다만 추신에 내일은 그 늙은 의사가 오기로 되어 있는 날이니, 모레쯤 와 달라는 내용만 덧붙여져 있을 뿐이었다.

이렇게 해서 내 인생의 이틀이 책장에서 완전히 뜯겨져 나간 것이다.

그 이틀이란 시간이 그냥 조용히 흘러가기만 한 것이라면 얼마나 좋을까.

그러나 이틀은 그렇게 쉽게 흘러갈 수 있는 시간이 아니었다.

나는 그 이틀 동안 마치 감옥에 갇혀, 감옥을 벗어날 날만을 기다리며 시붕을 바라보는 그런 기분이 되어 있었다.

하지만 그 이틀 동안, 무엇이 어찌 되든 나는 다른 변화 없이 살아 내야만 하는 것이다.

나는 차라리 그 이틀이라는 시간이 남에게 베풀어 줄 수 있는 선물이라면, 누구에게라도 주어 버리고 싶은 심정이었다.

왕에게든 거지에게든 그 시간을 내 주고 싶었다.

만약 왕이라면 권좌에 앉아 그 이틀 동안 더욱더 권세를 누리고 싶을 테니까 분명 내 선물을 받을 것이다.

거지라면 무엇인가 도움을 받을 수 있는 교회 문밖에 있는 돌층계에 앉아 그만큼 더 생명을 연명하고 싶었을 것이다.

나는 잠시 동안 명상에 잠겼다.

그런 생각으로 조용히 눈앞을 바라보고 있자니 불현듯 잊고 있었던 아침 기도가 생각났다.

나는 기도하기 시작했다.

그리하여 절망보다 더 큰 불신은 없으며, 인생에 있어서 일어나는 모든 일은, 그것이 큰 일이든 작은 일이든 간에 모두 신이 만들어놓은 일의 일부이다, 아무리 견디기 어려운 일이라 하더라도 우리는 그것에 순종해야 한다고 스스로를 위로했다.

나는 앞으로 앞으로만 달리다 갑자기 바로 앞에서 낭떠러지를 발견한 기사처럼 말고삐를 뒤로 세게 잡아챘다.

그리고 마음속으로 외쳤다.

'그렇게 예정되어진 운명이라면 받아들이겠어. 신이 만들어 놓은 이 세상의 모든 일은 우리가 불평하거나 한탄한다고 달라지지 않아. 그녀가 직접 자기 손으로 쓴 편지를 내가 읽을 수 있는 것만으로도 난 충분히 행복해. 그리고 내일이 지나고 다음 날이 밝아오면 그녀를 다시 볼 수 있으니 이 또한 나에게는 분에 넘치는 행복 아니겠는가.'

살아가면서 고통스러움을 겪는 고통의 바다를 요리조리 잘도 빠져나가는, 수영 잘하는 약삭빠른 자들은 이렇게 말할지도 모른다.

'머리를 항상 위로 쳐들고 있어야 해!'

그러나 머리를 쳐들고 있음으로써 눈과 코에 물이 들어갈 수도 있다.

그렇다면 차라리 물 속으로 깊이 빠져 들어갔다가 다시 물 밖으로 나오는 것이 나을지도 모른다.

일상 속에서 자꾸만 일어나는 작은 불행들을 신의 섭리라고 생각하는 것이 힘들 수도 있다.

아니면 온갖 힘든 일을 당했을 때, 그것을 신의 뜻이라고 생각하기 어려울 수도 있다.

그 때는 그것을 우리의 의무라고까지는 말할 수 없겠지만, 오히려 예술이라고 생각해 보는 것도 좋을 것이다.

이러한 생각을 해 볼 때, 조그마한 고통이나 피해를 입었다고, 대단치도 않은 일에 막무가내로 떼를 쓰는 어린아이처럼 굴 것은 없다.

덜 자란 어린아이처럼 행동하는 것은 참으로 보기 흉한 것이다.

그 반대의 경우도 있다.

그 모든 것을 신의 뜻으로 순순히 받아들이는, 순진하고 가련한 어린아이는 참으로 아름답다.

어린아이의 눈에서 흐르는 눈물 방울처럼 반짝거리며 빛나는 광경은 그토록 아름다울 수가 없다.

참고 기다리다 원하는 것을 얻는 것은 봄비를 흠뻑 맞은 꽃잎이 햇빛을 받아 한 송이 꽃으로 피어나는 것과 같은 것이다.

비록 그 날은 그녀를 만날 수 없지만, 그렇게 예정되어진 운명이라면 그 운명을 버텨낼 방법을 찾아내야 한다.

그래서 그 이들 동안을 그녀와 함께 할 수 있는 좋은 방법을 생각해 냈다.

나는 전부터 그녀가 내게 말해 주었던 아름다운 생각들을 글로 적어 봐야겠다는 생각을 했었다.

이윽고 그녀와 함께 했던 지난날의 즐거운 시간과 앞으로 더 즐거워질 미래를 그려 보며 그 이들을 지내기로 마음먹었다.

그렇게 지낸다면 그것이야말로 그녀와 함께 있는 것이 아니고 무엇이 겠는가!

그렇게 생각을 정리하자 그녀와 더불어 그녀 안에 있는 느낌이 들었고, 그녀의 손을 꼭 잡고 있을 때보다도 한층 그녀에게 가까워진 느낌이 들었으며, 그녀의 사랑을 느낄 수가 있었다.

이 때 내가 기록해 둔 것들은 지금 얼마나 소중한 것이 되었는지.

나는 그것을 얼마나 많이 읽고 또 읽고 했던가.

물론 나는 그녀가 한 말을 잊어버릴까 봐 기록을 남긴 것은 아니다.

그 기록은 내 청년 시절 행복의 증인이기 때문이다.

기록들, 그저 아무 말 없이 쓰여진 말들이지만, 말로 얘기하는 것보다 훨씬 의미 있는 일이다.

그 기록들이 그 속에서 말없이 나를 바라보고 있기 때문이다.

지난날의 행복했던 추억이나 지난날의 괴로웠던 추억, 그리고 우리를 둘러싸거나 우리와 함께 엉켜 있던 그 모든 것이 사라져 버린다.

먼 과거, 벌써 여러 해 전에 죽은 아이의 고요한 무덤 위에 자신의 영혼을 쓰러뜨리는 어머니의 그런 과거일 수도 있다.

그 어떠한 희망과 동경도 그 고요한 적막감을 방해할 수 없는 그런 과거에 대한 애달픈 추억을 우리는 애수라고 부른다.

이러한 애수에는 어쩌면 행복감이 담겨 있을 수도 있다.

그것은 사랑과 고통을 겪어 보지 않은 사람이라면 알 수 없다.

이 세상 모든 어머니에게 물어 보라.

지난날 자신이 신부였을 때 머리에 썼던 하얀 면사포를 딸에게 씌워 주는 어머니에게 물어 보라.

그 때 그 어머니는 이미 저 세상으로 가 버린 남편을 생각할 것이고, 그 때의 기분은 어떠하겠는가.

또한 생각해 보라.

중년에 든 한 남자가 그 옛날 자신이 청년이었던 시절 너무나 사랑했던 한 여자로부터 받았던 장미꽃을.

헤어지지 않으면 안 되었던 그 여자가 세상을 떠날 즈음에, 그녀에게 보냈던 장미꽃을 되돌려 보내왔을 때를 생각해 보라.

시들어 버린 그 꽃을 되돌려 받은 남자의 기분이 어떠했을지를 생각해 보라.

아마 그들 모두는 눈물을 흘렸을 것이다.

그러나 그들의 눈물은 결코 고통을 의미하는 눈물만은 아닐 것이다.

물론 기쁨의 눈물도 아니다.

그것은 신에게 바치는 제물로서의 눈물인 것이다. 인간이 신에게 바치는 눈물인 것이다.

신의 사랑과 지혜를 믿음으로써 자기가 갖고 있는 가장 소중한 것을 조용히 떠나보내며 바치는 눈물인 것이다.

자, 다시 지난 추억의 세계로, 지난날의 생생했던 그 때로 되돌아가보자.

내게 주어진 그 이틀은 순식간에 흘러가 버렸다.

그리하여 기다리고 기다렸던 재회의 날이 한 걸음씩 다가오자, 나는 기쁨으로 몸을 떨었다.

내가 보낸 그 이틀 중의 첫째 날, 나는 마차와 기병들이 도착하여 여러 사람들로 북적대는 그 성을 보았다.

지붕 위에는 깃발이 펄럭이고 있었으며, 아름다운 정원에서는 잔잔한 음악이 흘러나왔다.

저녁에는 유람을 위한 곤돌라가 호수 위에서 이리저리 한껏 흥취를 뿜으며 왔다갔다했다.

호수 위에서 남자들의 노랫소리가 물결을 타고 들려왔다.

그녀가 창문으로 이 노랫소리를 듣고 있을 것이라고 생각을 했다.

나 역시도 그 노랫소리에 귀기울이지 않을 수 없었다.

둘째 날에는 모든 것이 바삐 돌아갔다.

오후가 되자 사람들은 귀가를 서둘렀고, 저녁 늦게는 그 궁중 의사가 홀로 성안에서 나오는 것이 보였다.

나는 더 이상 가만히 기다리며 참고 있을 수만은 없었다.

그녀가 혼자 있다는 걸 알고 있었기 때문이다. 의사는 성을 떠났기 때문이다.

그녀는 조용히 혼자서 나를 생각하고 있을 것이며, 내가 오기만을 간절히 기다리고 있을 것이다.

그러니 내 어찌 그녀의 손을 잡지 않고 이 밤을 보낼 수 있겠는가!

그녀의 손을 잡고, 우리는 이 밤 동안 잠시 이별하는 것뿐이라고 말해 주어야만 했다.

내일이면 다시 만날 수 있다는 안심을 시켜 주지 않고는 이 밤을 그냥 보낼 수가 없는 것이다.

그녀의 방에서는 아직도 불빛이 새어 나오고 있다.

그녀가 그 곳에서 외롭게 홀로 불을 밝혀 놓고 있을 이유가 없다.

나 역시 그녀의 감미로운 존재를 가까이 두고서 그냥 목석같이 앉아 있을 수는 없었다.

나는 어느덧 그녀의 성 앞에 가 있었다.

초인종을 누를 준비가 다 되어 있었다. 그러나 갑자기 멈추어 서서 나는 스스로에게 말했다.

"아니야, 이렇게 의지가 약하다니! 너는 필시 밤에 나타난 도둑놈처럼 부끄러워하며 그녀 앞에 설 것이 분명해. 차라리 내일 아침 전쟁터에서 돌아오는 개선 장군처럼 떳떳하게 그녀를 만나는 것이 나아. 그녀는 지금 내게 씌워 줄 아름다운 화관을 짜고 있을 거야."

결국 나는 그 밤을 참아 내었고 또 다른 아침이 되었다.

나는 또다시 그녀에게 와 있었다.

정말로 그녀 곁에 와 있는 것이다! 아, 정신은 육체가 필요 없는 법이라고 말하지 말라!

완전한 존재, 완전한 의식, 완전한 기쁨, 그러한 것들은 정신과 육체가 온전히 하나여야 가능한 것이다.

육체는 정신을 가지고 있어야 하고, 정신은 육체를 가지고 있어야 진정한 존재인 것이다.

육체 없는 정신이란 있을 수 없으며, 있다 해도 그것은 시체에 불과할 것이다.

들에 피어 있는 꽃에는 꽃만, 겉모습만 있지, 꽃의 정신이 들어 있지 않다고 누가 말하는가?

그 꽃은 자기에게 꽃으로서의 생명과 존재를 준 신의 뜻에 따라 모든 것을 그에게 맡기고 있지 않은가.

그것이 바로 그 꽃의 정신인 것이다.

단지 우리 인간은 그 육체에 깃든 정신이라는 것을 말로 표현할 수 있는 능력이 있다는 것뿐이다.

그에 반해, 꽃은 고요히 침묵하고 있는 것뿐이다.

육체적이며 동시에 정신적인 생활이야말로 진실한 생활이다.

진실로 누릴 수 있는 존재의 기쁨은 육체적이며 정신적인 것이다.

진실한 결합 역시 항상 존재를 담고 있는 그릇인 육체와 바로 그 존재 자체인 정신이 함께 작용하는 것이다.

내가 보낸 이 이틀 동안 그 추억의 세계에서 나는 너무도 행복하였다.

그러나 지금에 와서 다시 생각해 보면, 그녀 앞에 서서는 막상 그런 마음이 생기지 않았다.

그녀 앞에 서기만 하면, 그러한 마음은 마치 물거품처럼 사라지고 말았다.

나는 그녀의 이마며 눈이며 뺨이라도 어루만지면서 그녀가 진짜로 내 곁에 있음을 확인하고 싶었다.

밤낮으로 생각하는 그녀에 대한 명상이 아니라, 그녀의 참된 존재를 확인하고 느끼고 싶었다.

그녀의 육체가 나의 육체는 아니지만, 나의 것이어야 한다고 생각하는 그녀의 존재를 내 자신의 육체를 믿는 것처럼 믿고 싶었다.

비록 육체는 분리되어 있지만 나의 자아보다도 더 내 가까이 있는 그녀의 존재를 바로 옆에서 확인하고 싶었다.

그 존재 없이는 이미 내 생명도 살아 있는 것이 아니다.

내 죽음도 나 혼자 죽어서는 진짜 죽음이 될 수 없는, 그녀라는 존재를 내 눈앞에서 확인하고 싶었다.

나의 그러한 생각과 시선이 그녀를 꿰뚫고 지나갔을 때, 나는 그 때야말로 내 모든 행복이 성취된 것 같은 느낌을 가졌다.

나는 전율했다.

그리고 죽음에 대하여 생각했다.

그 죽음이라는 것은 나에게 어떠한 두려움도 주지 않았다.

설령 죽음이라는 것이 우리에게 찾아온다고 해도 그녀에 대한 내 사랑을 방해할 수는 없다.

죽음은 오히려 그 사랑을 정화시켜 더 한층 고결해지고 영원하게 만들기 때문이다.

그녀와 함께 침묵 속에 있다는 건 짜릿한 즐거움이었다.

그녀의 얼굴에는 그녀가 품고 있는 온 마음이 나타나 있다.

그런 그녀의 얼굴을 바라보고 있으면, 그녀가 바라보는 것이 내 눈에도 보였고, 그녀가 듣고 있는 것을 나 또한 들을 수 있었다.

그녀의 마음속에 있는 모든 것이 나에게 보였으며 또한 들려왔다.

"그 동안 괴로우셨지요?"

그녀의 마음은 이렇게 말하고 있었다.

물론 겉으로는 침묵했다.

"아, 이제야 같이 있게 되었군요. 이대로 조용히 있어 주세요. 불평은 하지 마시고요. 질문도 하지 마시고, 부끄러워하지도 마세요. 다만 잠자코 나의 인사를 받아 주세요."

이 모든 말은 그녀의 눈에서 나오는 것이었다.

우리는 언제까지고 이 행복한 침묵을 즐기고 있었다.

그 누구도 어설픈 몇 마디 말로써 우리들의 이 평화로운 만남을 깨뜨리고 싶어하지 않았다.

"그 늙은 의사에게서 편지를 받으셨나요?"

이윽고 그녀가 침묵을 깨고 떨리는 목소리로 질문을 했다.

그녀의 목소리에는 떨림이 있었다.

"아니, 못 받았습니다."

나는 대답했다.

그녀는 다시 침묵하더니 잠시 후에 다음과 같이 말했다.

"그래요? 오히려 잘됐군요. 차라리 당신과 직접 얼굴을 마주하고 이야기하는 편이 낫겠어요. 실은 오늘이 당신과 제가 만나는 마지막 날이에요. 우리는 아무런 싸움 없이 평화롭게 헤어질 수 있을 거예요.

그 사실 때문에 슬퍼하거나 노여워하지 마세요. 모든 게 처음부터 다 제 잘못이에요. 나는 아주 가냘픈 바람이 꽃잎을 떨어뜨릴 수도 있다는 걸 미처 생각지 못했어요. 그래서 그만 당신의 생활 속으로 너무 깊이 들어가고 만 거예요. 나는 정말이지 바깥 세상일에 대해서는 아는 것이 전혀 없답니다. 다만 나처럼 이렇게 앓고 있는 사람이 사람들에게, 아니 당신에게 동정 이상의 마음을 불러일으키리라고는 전혀 생각지도 못했어요. 난, 평상시처럼 당신에게 다정하고 솔직하게 대했을 뿐이에요. 우리는 옛날부터 서로 잘 아는 사이였잖아요. 그리고 같이 있으면 기분이 좋았어요. 무엇 때문에 마음을 속이겠어요? 무엇 때문에 솔직히 말하지 못하겠어요? 난 당신을 좋아하고 있으니까 그렇게 했던 거예요. 하지만 이 세상은 나와 같은 사랑을 인정하지 않더군요. 그러한 사실을 그 늙은 의사가 깨닫게 해 주었어요. 도시 사람들이 우리 두 사람에 관해 모두들 수군거린대요. 영주인 내 동생이 아버지께 그와 같은 사실을 편지로 썼어요. 그 편지를 받고는 아버지가 더 이상 당신을 만나지 말라고 하세요. 당신에게 이러한 고통을 주게 된 것을 뼈저리게 후회하고 있어요. 아, 나를 용서해 주세요. 제발 용서하겠노라고 말해 주세요. 그리고 친한 친구로 남아 이별했으면 좋겠어요."

그녀의 눈에는 눈물이 가득했다.

그녀는 눈을 감고 억지로 눈물을 참고 있었다.

그 눈물을 나에게 보이지 않으려 애썼다.

"마리아, 잘 들으세요. 내게는 단 하나의 생명이 있을 뿐입니다. 그것은 당신과 함께 하는 생명이에요. 또 내게는 하나의 의미가 있습니다. 그것은 바로 당신입니다. 이제 모든 걸 숨김없이 고백하겠어요. 난 마음속 깊이 당신을 사랑하고 있습니다. 내 모든 마음을 다 바쳐 당신을 사랑합니다. 물론 내가 당신에게는 너무나도 부족한 사람이라는 걸 잘 압니다. 당신보다 신분도 낮습니다. 마음의 고결함이나 그 순수함에 있어서도 당신을 따라가지 못합니다. 그렇기 때문에 당신을 내 아내로 맞이하려 한다는 것이 제 분수를 모르는 짓이라는 것도 압니다. 하지만 당신과 내가 이 세상에서 한데 어울려 살아가기 위해서는 그 길밖에 없습니다. 마리아, 물론 모든 건 당신의 자유예요. 난 당신에게서 어떠한 희생도 원하지 않습니다. 당신이 마음먹기에 따라 우리는 다시 못 만날 수도 있지요. 하지만 당신이 나를 사랑한다면 이 세상을 잊는 게 어떨까요? 당신이 내게 속해 있다는 걸 느낀다면, 그 때는, 아, 그 때는 차라리 이 세상을 잊는 것이 낫지 않을까요? 세상이 뭐라 떠들든 그것에 매이지 맙시다. 나는 이 팔로 당신을 안고 제단 앞으로 걸어 나가겠습니다. 그리고 무릎을 꿇고 살아 있거나 죽었거나, 나는 언제나 당신의 것이라고 맹세하겠습니다."

"무슨 말인지는 잘 알겠어요. 하지만 우리는 가능하지 않은 것을 원해서는 안 됩니다. 만약 우리가 그와 같이 연결되는 것이 신의 뜻이라고 합시다. 정녕 그렇다면 신은 이렇게 일생 동안 내게 감당하기 어려운 고통을 주시지는 않았을 거예요. 우리는 이런 일을 당할 경우 흔히, 피할 수 없는 운명이라든가 피치 못할 형편이라든가 하는 말을 합니다. 하지만 그러한 것이 모두 신의 섭리라는 것을 잊지 마세요. 그것을 받아들이지 않는 것은 신을 받아들이지 않고 그에게 반항하는 것과 같은 거예요. 그것은 유치한 짓이에요. 사악한 짓이라고 할 수도 있지요. 사람들이 아무리 고통스러운 삶을 살고 있다고 해도, 그것은 한갓 별들이 하늘을 도는 것처럼 그렇게 방황하는 거나 마찬가지예요. 각각의 별들은 신에 의하여 지시되어진 궤도 안에서 돕니다. 서로 만나기도 하고 또 헤어져야 할 때가 되면 헤어지는 겁니다. 그런데 우리가 그것을 거부한다면, 그건 세계의 질서를 파괴하는 결과를 가져오게 되고 말아요. 비록 우리가 신의 섭리를 다 이해하고, 알 수는 없다 할지라도 그것을 믿을 수는 있잖아요. 나 역시 당신에게 사랑을 느끼는 것이 무엇 때문에 옳지 않은 것인지 이해할 수는 없어요. 아니, 옳지 않다고 말한다는 자체가 싫습니다. 하지만 우리는 우리가 원하는 대로 될 수 없어요. 또 그렇게 되어서도 안 돼요. 제 말뜻을 아시겠어요? 이것으로 충분해요. 우리는 그저 겸손한 태도로 믿음을 가지고 신에게 자신을 맡기면 되는 거예요."

그녀는 차분하게 하나하나 자신의 뜻을 말했다.

하지만 나는 그녀가 느끼는 깊은 고통의 깊이를 가늠할 수 있었다.

나는 그렇게 쉽게, 자기 자신과의 투쟁을 간단히 포기해 버리는 것은 옳지 않다고 생각했다.

나는 내 나름대로 침착함을 잃지 않으려고 노력하면서, 또한 정열적인 태도를 드러내지 않으면서 말했다.

그녀에게 더욱더 극심한 고통을 주고 싶지 않았기 때문이다.

"만약 이것이 우리의 마지막 만남이라면 우리가 왜 이러한 희생을 참아내야 하지요? 도대체 그러한 희생을 누구한테 바치는 겁니까? 그것에 대해 진지하게 생각해 보셨습니까? 우리의 사랑이 신의 섭리를 저버리는 것이라고 합시다. 정말 그렇다면 나 역시 당신처럼 신의 섭리에 겸손한 태도로 복종하겠어요. 보다 높은 의지에 반항한다는 건 신이 있다는 사실을 잊고 있는 태도니까요. 하지만 우리 인간이란 가끔씩 신을 속일 수도 있습니다. 또 자기의 보잘것없는 재주로 신의 지혜를 뛰어넘을 수 있다는 생각을 품을 수도 있지요. 물론 그것은 어리석은 짓입니다. 신을 상대로 하는 전쟁에서 우리 인간은 결국 신에게 지고 말 테니까요. 멸망하고 말 테니까요. 그러나 과연 우리의 사랑을 갈라놓고, 반대하는 것이 절대자인 신의 섭리일까요? 그건 단지 세상 사람들의 부질없는 지껄임에 불과한 것 아닐까요? 물론 인간 사회의 도덕이나 규범도 중요하지요. 그 규범이 너무 과장되고 자질구레하며 지나치게 복잡하게 되어 있더라도 그 규범을 존중해야겠지요. 문제가 있는 사람들에게는 그러한 규범이나 도덕을 강요할 필요가 있습니다.

오늘날 사람들이 살아가는 세상의 질서를 유지하고 또 공동체의 목적을 이루기 위해서는 그래야 합니다. 그러나 사회적으로 해서는 안 되는 일이나, 뭔가 한쪽밖에 볼 줄 모르는 편견 같은 것이 필요할 수도 있습니다. 우리는 그런 것들을 비웃을 수 있습니다. 우리가 그와 같은 허깨비들을 위해서 많은 희생을 치르는 것도 부득이한 일이겠지요.

그리스의 전설에 의하면, 크레타 왕 미노스의 왕비가 머리는 소이고 몸은 인간인 미노타우로스라고 하는 괴물을 낳았습니다. 왕은 신의 계시에 따라 미노타우로스를 가두었지요. 미노타우로스를 지키기 위해, 다이달로스에게 찾아가 나오기 어려운 미로를 만들게 했지요. 그 통로는 온통 꼬불꼬불하여 한번 들어가면 나올 수가 없었어요. 그리고 미노스는 이 괴물의 먹이로 매년 젊은 남녀들을 제물로 바쳤어요. 그 젊은 남녀들은 아무 죄도 없이 괴물의 먹이로 희생되었던 겁니다.

사람들은 모두 가슴에 각자의 상처를 가지고 살아가지요. 순수한 감정을 가진 사람 치고 사회라는 새장 속에서 조용히 길들여져 살기는 쉽지 않습니다. 그렇게 되기까지 그가 가진 순수하고 여린 애정의 날개를 꺾어야 하니까요. 아마 그러한 과정을 거치지 않고 사회 속으로 들어간 사람은 한 사람도 없을 겁니다. 그 과정은 누구나 겪는 어쩔 수 없는 일이지요. 결국은 그렇게 되고 마니까요.

당신은 세상일에 대해 잘 알지 못합니다. 하지만, 나는 내 친구의 경우만 보더라도 그와 같은 비극을 몇 권의 책으로 펴낼 만큼 많이 알고 있어요. 예를 하나 들어 드릴까요? 어떤 한 남자가 한 처녀에게 사랑을 바쳤습니다. 그리고 그는 그 처녀에게 사랑의 보답을 받았습니다. 그러나 남자는 가난했습니다. 그 처녀는 부자였지요. 그 사실이 두 사람의 심장을 찢어 버리고 말았어요.

왜 그런지 아세요? 처녀는 중국의 비단옷 대신 미국의 면으로 된 옷을 입어야 했거든요. 사람들은 그것을 불행한 일이라고 생각했지요.

또 하나의 예를 들어 보지요.

서로 사랑하는 남자와 여자가 있었습니다. 남자는 신교도였고 여자는 구교도였습니다. 양쪽 어머니와 목사들은 서로 다투고 불화했지요. 마침내 두 사람의 사랑은 깨지고 말았어요. 왜 그랬을까요?

그것은 300년 전에 카를 5세와 프란츠 1세, 하인리히 8세가 서로 겨룬 정치적 장기 때문이었습니다. 또한 세 번째 남자 역시 한 처녀를 사랑하게 되었고 그 처녀 역시 사랑으로 응답했습니다. 하지만 그는 귀족이었고, 그녀는 평민 출신이었습니다. 남자가 처음부터 귀족이었던 집안의 사람은 아니었습니다. 평민이었던 그녀의 자매들이 서로 옥신각신하며 반대를 했지요. 결국 두 사람의 사랑은 깨지고 말았지요.

왜, 어째서 그랬을까요? 그것은 백년 전 어떤 병사가 전쟁터에서 국왕의 생명을 노린 상대 병사를 죽였기 때문입니다. 그 병사는 그 때의 공로로 귀족의 칭호와 명예를 받았지요. 그 증손자 역시 귀족이 됨으로써 사랑에 실패했습니다. 백년 전의 병사가 상대 군사를 죽이면서 흘린 피의 보복이지요. 통계학적으로 볼 때, 매 시간마다 하나의 사랑이 깨진다고 하더군요. 난 그 통계를 믿어요. 그것은 이 세상이 부부 관계 이외의 남녀 사이는, 결혼 전의 순수한 사랑은 인정해 주지 않기 때문이지요. 만약 두 처녀가 한 남자를 사랑한다면, 그 중 한 명은 반드시 희생될 겁니다. 또한 두 남자가 한 여자를 사랑한다고 해도, 두 남자 중 한 남자는 물러나야 합니다. 왜 사람들은 모든 남녀 관계를 결혼과 연관짓는 것일까요? 왜 결혼하지 않고서는 누군가를 사랑해서는 안 된다고 생각할까요? 남자들은 어느 한 여자를 자기의 부인으로 맞으려는 생각 없이는, 그 여자를 바라보지도 못하는 건가요?

자, 눈을 감아 보세요. 제가 좀 흥분해서 지나쳤다는 생각이 드는군요. 어쨌든 이 세상은 인생에 있어서 가장 신성한 것을 가장 저속한 것으로 만들어 버렸습니다.

오, 마리아!

이쯤 이야기를 했으니까 당신도 알아들었을 거예요. 마리아, 우리가 세상에 속해 있을 때는, 또 그 사람들과 이야기를 할 때는 그들이 하는 대로 내버려둡시다. 하지만 우리는 그런 시끄러운 세상에 전혀 개의치 않고 서로 진실한 이야기를 주고받습니다. 그럴 때는 그 아름답고도 신성한 보물을 고이 간직하는 게 어떨까요? 세상도 이런 고고한 정신만은 존중해 줄 것입니다. 고귀한 사람이 자기의 정당한 권리를 위해서 저속한 사람들과 용감히 맞서고자 할 때는, 세상도 그것을 존중해 주지 않을 수 없는 것이죠. 세상에 통용되는 체면이라든가 금기라든가 편견 따위는 얽히고설킨 담쟁이덩굴과도 같은 것입니다. 푸른 담쟁이가 그 무수한 뿌리와 잎으로 든든한 벽을 푸르게 장식하고 있는 광경은 아름답습니다. 그러나 그것이 너무 뻗어 나가서는 곤란합니다. 그렇게 되면 그 덩굴은 우리가 살고 있는 모든 건물의 틈새를 뚫고 들어와서 건물의 내부를 파괴해 버리기 때문입니다.

마리아, 제 사람이 되어 주십시오. 당신의 마음이 시키는 대로 행동하

십시오. 지금 당신의 입에서 나오는 말은 영원히 당신과 나의 생애를 결정지을 것입니다. 당신과 나의 행복은 거기에 달려 있습니다."

이렇게 말하고서 나는 조용히 침묵했다.

내가 쥐고 있는 그녀의 손은 내 심장의 따스한 호소에 일일이 반응을 보이고 있었다.

그녀의 마음에는 큰 파도가 일고 있었다.

그 큰 파도가 검은 비구름을 하나씩 밀어내고 있는 하늘이 그렇게 아름답게 보인 적은 없었다.

"하지만 당신은 왜 나를 사랑하고 있지요?"

그녀는 결정적인 대답을 미루는 듯 작은 목소리로 물었다.

"왜냐고요? 마리아, 어린아이에게 너는 왜 이 세상에 태어났느냐고 한번 물어 보세요. 꽃더러 무엇 때문에 봄만 되면 피어나느냐고 물어 보세요. 저 하늘에 떠 있는 태양에게 어째서 빛을 발하냐고 물어 보세요. 나는 당신을 사랑하지 않을 수 없기 때문에 사랑하는 것입니다. 그러나 이 대답으로도 부족하다면 여기 있는 이 책이 나를 대신하여 말해 줄 것입니다."

무릇 가장 선한 것은 우리에게 가장 사랑스러운 것이 되어야 한다.

그리하여 우리의 사랑에 있어서는 쓸모 있는 것과 쓸모 없는 것, 명예로운 것과 불명예스러운 것을 구분해서는 안 된다.

칭찬하는 것과 비난하는 것 등도 고려해서는 안 된다.

가장 고귀하고 가장 선한 것은 그 고귀함과 선함으로 인해 우리의 사랑을 받아야 마땅하다.

따라서 인간은 이 규범에 따라 외부적이든 내부적이든 자신의 생활을 다스려야 한다.

외부적이라 함은, 이런저런 피조물에게 있어서는 선한 것과 악한 것이 있음을 뜻한다.

때문에 영원한 선은 다른 모든 것보다 빛난다.

그 어떤 것보다도 많이 활동한다.

영원한 선이 가장 많이 빛나고, 가장 많이 사랑 받는 것은 그것이 피조물 가운데 가장 선하기 때문이다.

선함의 작용이 가장 작은 것은 가장 최악의 것이다.

그러므로 피조물과 사귀고 교제함에 있어서 이와 같은 구별을 알고 있다면, 가장 선한 것이 가장 사랑스러운 것이 될 것이다.

가능하면 그와 더불어 사귀고 하나가 되어야 한다.

나는 다시 말을 이었다.

"마리아, 당신은 내가 알고 있는 한 가장 훌륭한 신의 창조물입니다. 그렇기에 나는 당신에게 호의를 갖게 된 것입니다. 결국 사랑하게 된 것입니다. 당신 역시 나를 사랑하고 있습니다. 지금 당신이 무슨 생각을 하는지 제발 말해 주십시오. 당신은 제 사람이라는 그 말이 당신을 고통스럽게 만들었나요?

신은 당신에게 나를 보내시어 그 고통을 나누어 갖게 하십니다. 당신의 고통은 내 고통이기도 합니다. 우리는 그 고통을 함께 짊어지고 나아갈 수 있어요. 마치 배가 무거운 돛을 짊어지듯이 그렇게 말입니다. 무거운 돛은 결국 배를 안전한 항구로 인도해 주지요."

그녀의 마음이 차츰 평온해짐을 느낄 수 있었다.

그녀의 뺨은 저녁놀과 같이 붉게 물들었다.

그녀는 두 눈을 크게 떴다.

태양이 더없이 아름다운 빛으로 빛났다.

"나는 당신의 것입니다. 그것은 신의 뜻입니다. 있는 그대로의 나를 받아 주세요. 내가 살아 있는 한 나는 당신의 것입니다.

그리고 이 땅을 떠나더라도 신께서 우리 둘을 합쳐 주시고, 이끌어 주시기를 기원합니다. 그럼으로써 내게 향한 당신의 순결한 사랑에 보답하고 싶습니다."

우리는 서로의 가슴을 맞대며 껴안았다.

나의 입술은 나에게 축복을 내려 준 그녀의 입술에 가볍게 닿았다.

시간은 우리를 위해 움직임을 멈추었고, 주위의 세계는 모두 사라져 버렸다.

잠시 후, 깊은 한숨이 그녀의 가슴속에서 새어 나왔다.

"주여, 이 행복을 용서해 주소서."

속삭이는 듯한 말로 그녀는 계속 말을 했다.

"이젠 나를 혼자 있게 해 주세요. 더 이상은 견디기가 힘들군요. 다시 만나요. 나의 사랑, 나의 구원자여!"

그 말이 내가 그녀에게서 들은 마지막 말이었다.

아니, 그렇지 않을 수도 있다.

나는 그날 밤 늦게 집으로 돌아왔다.

침대에 누워 자면서도 나는 그녀와 관련된 괴로운 꿈으로 힘들었다.

꿈을 꾸다 나는 누군가가 나를 찾아온 것을 알았다.

한밤중이었다.

밖으로 나가 보니 그 늙은 주치의였다.

"우리의 천사가 하늘나라로 가셨다네."

그가 말했다.

"이것이 자네에게 보내는 마리아 공녀의 마지막 인사야."

늙은 주치의는 그렇게 말하면서 나에게 편지 한 통을 내밀었다.

그 편지 속에는 그녀가 내게 주었던, 어린 시절 내가 다시 그녀에게 선사했던 반지가 들어 있었다.

그 반지에는 '하느님의 뜻에 따라서' 라는 말이 새겨져 있었다.

반지는 오래된 종이 한 장에 싸여 있었다.

그 종이는 어렸을 적, 그녀에게 말한 내용을 적어 놓은 것이었다.

'당신의 것은 나의 것, 당신의 마리아.'

몇 시간 동안 주치의와 나는 말없이 앉아 있었다.

나는 그녀가 떠났다는 고통의 무거운 짐 때문에 견딜 수 없었다.

나는 아무 말도 하지 못했고, 시간은 흘러갔다.

그것은 고통이 너무 가혹해 견딜 수 없을 때, 신께서 우리에게 보내 주신 정신적 무력 상태였다.

마침내 그 늙은 주치의가 일어났다.

그리고는 내 손을 잡으면서 다음과 같이 말했다.

"우리가 만나는 것도 오늘이 마지막일세. 자네는 이제 이 곳을 떠날 테고, 나 역시 죽을 날이 얼마 남지 않았기 때문이야. 그러나 이것만은 꼭 자네에게 이야기해 주어야겠네. 이것은 내가 일생 동안 내 가 슴속에 고이 간직한 이야기야. 그 누구에게도 털어놓은 적이 없는 비밀이지. 지금부터 내가 하는 이야기를 잘 들어주게나.

불과 얼마 전 우리를 떠난 천사는 정말 아름다운 영혼을 가졌었지. 아주 순결하고, 훌륭하며, 또 성실했던 깊은 마음의 소유자였어. 하지 만 난 우리의 천사보다 더 고귀하고 아름다운 영혼을 가진 분을 알고 있네. 그 분은 바로 그녀의 어머니라네. 나는 그녀의 어머니를 사랑했 었네. 그 어머니 역시 나를 사랑했었지. 우리는 둘 다 가난했어. 나는 우리 둘이 이 세상을 살아가는 데 있어서 좀더 확고한 지위를 얻기 위해 내 생활과 투쟁을 하였네. 그런데 젊은 공작님은 나의 영주셨고,

마음속으로부터 열렬히 그녀를 사랑하셨다네. 신분의 차이를 극복하고 어떠한 희생을 치르고서라도 그녀와 결혼하려 했다네. 불쌍한 고아인 내 약혼녀를 공작 부인으로 삼으려고 결심하셨다네. 나는 그녀를 너무도 사랑하였기에, 그녀의 행복을 위해 내 사랑을 희생할 각오를 했지. 그래서 나는 일부러 그녀에게 지난날의 모든 약속을 취소하겠다는 한 통의 편지를 남기고 고향을 떠나 버렸어. 내가 오랜 시간이 지난 뒤 그녀를 다시 만난 건, 그녀가 임종을 맞이하려는 병상에서였지. 그녀는 첫딸을 낳다가 죽어 버린 거야.

이젠 자네도 내가 왜 자네의 마리아를 사랑했는지 알겠지?

마리아는 나로 하여금 세상에 마음을 묶어 두게 한 유일한 존재였어. 내가 여태껏 이 세상을 참고 살아왔듯이, 자네도 이 세상을 잘 참아주길 바라네. 끝 모를 슬픔이란 보람 없는 거야. 그러니 그러한 슬픔 때문에 허송세월을 보내지는 말게. 될 수 있는 대로 많은 사람들에게 도움을 주고, 그 사람들을 사랑하도록 하게나. 그리고 자네가 그녀와 같은 아름다운 영혼을 이 세상에서 만날 수 있었다는 것에 감사드리게. 그리고 사랑하게 되었다는 것, 그리고 잃어버리게 되었다는 것에 대해서도 있는 그대로 감사드리게."

"하느님의 뜻에 따라서."

나는 그녀가 내게 보내온 반지에 새겨진 대로 그에게 말하고, 이 세상에서의 마지막 작별 인사를 나누었다.

그런 일이 있은 후, 며칠이 지나고 몇 주일이 지나고 몇 달이 지나고 몇 해가 흘러갔다.

고향은 이제 타향이 되어 버렸고 타향이 고향이 되었다.

하지만 그녀와의 사랑은 여전히 내게 머물러 있었다.

한 방울의 눈물이 바다로 떨어졌다.

그녀에 대한 나의 사랑은 인류라는 큰 바다에 떨어져 수많은 사람들 속으로 스며들고 그들을 감쌌다.

내가 어릴 적부터 그렇게도 좋아했던 수많은 다른 사람들 말이다.

다만 오늘과 같은 조용한 일요일에는, 이 세상에 나 혼자 있는 것은 아닌가 하는 생각이 든다.

푸른 숲의 자연에 안기어 있는 사람이 있는지 없는지 상관하지 않은 채, 혹시 이 세상에 나만 홀로 남겨진 것은 아닐까?

추억의 무덤 속에서 무엇인가 꿈틀거리는 기척이 들려온다.

죽었던 생각들이 그 무덤에서 살아난다.

그리하여, 다시 한 번 그 사랑의 전능함이 마음속으로 되돌아온다.

사랑은 아직도 나를 신비로운 세계로 흘러들어가게 만드는 존재다.

그렇게 되면 수많은 사람들에 대해 내가 품었던 사랑은 사라지고, 단 한 사람에 대한 사랑만이 남는다.

그리하여 내 추억은 그 유한하고도 무한한, 알 수 없는 사랑의 수수께끼 앞에서 입을 다물고 마는 것이다.

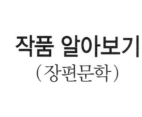

작품 알아보기
(장편문학)

〈독일인의 사랑〉은 신분 차이와 육체적 고통을 넘어선 두 남녀의 숭고한 사랑을 그린 작품으로, 막스 뮐러는 평생 동안 오직 이 한 작품만 남겼다.

작가는 세상을 순수하게 살아가는 독일의 한 젊은이와 고치지 못할 병을 안고 태어나 사랑을 꿈꾸지도 못하는 마리아 공녀와의 이야기를 통해, 그의 이상적인 사랑관을 작품 속에 담아 내고 있다.

주인공 남자와 여자의 수많은 대화와, 삶에 대한 교감을 중심으로 사랑에 대한 성찰이 곳곳에 스며 있는 이 책은 총 여덟 개의 추억으로 이루어져 있다.

일정 기간까지의 과거를 1인칭 주인공 '나'가 '마리아'라는 대상과의 만남을 중심으로 회상하고 있는데, '나'의 머리에 떠오른 단상들이 시간적 순차에 의해 어떻게 보면 단조로울 정도로 잔잔하게 전개된다.

거기에는 어린 시절의 추억, 마리아의 높은 신분과 교양, 그리고 그녀에 대한 '나'의 신앙에 가까운 사랑을 주요 내용으로 하고 있다.

따라서 좀 지루한 감이 있지만, 19세기 중반 독일의 젊은 지

작품 알아보기
(장편문학)

성인들이 생각하고 있는 이상적인 사랑과 낭만적이고 관념론적인 플라토닉 러브의 진짜 모습을 보여 주는 듯한 작품이다.

또한 육체적 접촉을 하지 않더라도 영혼과 영혼의 교류를 통해 올바른 사랑이란 무엇인가에 대해 생각해 볼 수 있는 작품이다.

논술 길잡이
(장편문학)

❶ 다음을 읽고, 이 글이 의미하는 것이 무엇일까를 생각해 보고 쓰라.

> 우리의 기억이란 것은, 마치 높다란 파도 속에 빠졌다가 겨우 살아 나온 강아지가 눈에서 물을 뚝뚝 흘리고 있는 것과 같다.
> 그 물이 시냇물이 되고 강물이 되어 바다로 가 합쳐지기엔 우린 너무 오랜 세월을 살아 버린 셈이다.

논술 길잡이
(장편문학)

❷ 주인공인 '나'가 공작의 집에 다녀와서, 왜 어머니도 아버지도 모두 이해할 수 없다며 울었는지에 대해 써 보자.

....

....

....

....

....

❸ 사람들이 '어린아이의 마음속에서 눈뜨는 동경을 가장 순수하고 가장 아름다운 사랑'이라고 말하는 이유에 대해 써 보자.

....

....

....

....

....

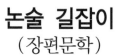

논술 길잡이
(장편문학)

❹ 다음 그림은 주인공인 '나'가 나이 어린 귀족의 자녀들과 많은 장난감을 가지고 노는 장면이다. '나'는 왜 자신을 나이 어린 공산주의자였다고 했는지 설명해 보자.

....

....

....

....

....

논술 길잡이
(장편문학)

❺ 공작의 성 옆, 보리수 나무 우거진 근처에 도착했을 때 '나' 의 심정은 왜 말할 수 없이 떨리고 답답했는지 상상해서 써 보자.

....

....

....

....

❻ '나' 는 공작의 딸 마리아를 기쁘게 만났는데도 '마리아 공녀는 내 마음속의 천사와는 아무 상관이 없는 사람' 이라며 태연한 척했다. 왜 그랬는지 써 보자.

....

....

....

....

....

논술 길잡이
(장편문학)

❼ 다음 글은 '나'가 마리아에게 한 말이다. 그 뜻을 음미하여 써 보자.

> 신비주의는 인간의 영혼을 단련시키는 시련의 불은 될 수 있습니다.
> 하지만 인간의 영혼을 가마솥의 끓는 물로 만들어 공중으로 증발하게 하는 그런 불이 되어서는 안 되는 것입니다. 자기 존재의 허무함과 공허함을 인식한 사람은 자기 자신이 진실한 신의 성질이 반영된 존재라는 사실을 깨달아야 합니다.

논술 길잡이
(장편문학)

❽ 다음 그림은 '나'와 마리아가 마지막으로 만나는 장면이다
'나'가 마리아에게 진심으로 한 사랑의 고백을 써 보자.

....

....

....

....

....

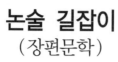

논술 길잡이
(장편문학)

❾ 궁중의 시의이자 '나'의 주치의이기도 한 노인이 왜 앞으로는 마리아를 만나면 안 된다고 했는지 써 보자.

....

....

....

....

❿ 늙은 주치의가 마지막으로 '나'를 찾아왔을 때 들려준 충격적인 내용을 본문에서 찾아 써 보자.

....

....

....

....

논·술·세·계·대·표·문·학 〈전60권〉

펴 낸 이	정재상
펴 낸 곳	훈민출판사
주 소	경기도 고양시 덕양구 원당동 416번지
대 표 전 화	(031)962-3888
팩 스	(031)962-9998
출 판 등 록	제395-2003-000042호